LUIS EDUARDO DE SOUZA

Autor do best-seller O Homem que Falava com Espíritos

KARDEC

O HOMEM QUE DESVENDOU OS ESPÍRITOS

São Paulo
2019

DIRETOR EDITORIAL
Luis Matos

GERENTE EDITORIAL
Marcia Batista

ASSISTENTES EDITORIAIS
Letícia Nakamura
Raquel F. Abranches

PREPARAÇÃO
Ricardo Franzin

REVISÃO
Geisa Mathias de Oliveira e Tássia Carvalho

ARTE
Valdinei Gomes

PROJETO GRÁFICO E DIAGRAMAÇÃO
Francine C. Silva

CAPA
Rebecca Barboza

Dados Internacionais de Catalogação na Publicação (CIP)
Angélica Ilacqua CRB-8/7057

S716k

Souza, Luis Eduardo de

Kardec: o homem que desvendou os espíritos/Luis Eduardo de Souza. – São Paulo: Universo dos Livros, 2019.

272 p.

Bibliografia

ISBN: 978-85-503-0426-7

1. Espiritismo 2. Kardec, Allan, 1804-1869 - Biografia
3. Espíritas - França - Biografia I. Título

19-0754 CDD 813.6

Universo dos Livros Editora Ltda.
Rua do Bosque, 1589 – Bloco 2 – Conj. 603/606
CEP 01136-001 – Barra Funda – São Paulo/SP
Telefone/Fax: (11) 3392-3336
www.universodoslivros.com.br
e-mail: editor@universodoslivros.com.br
Siga-nos no Twitter: @univdoslivros

Prólogo

Merci, Allan!

O ano é 1976. O famoso médium de efeitos físicos Luiz Antonio Gasparetto (1949 – 2018) está no Grupo Espírita da Prece, casa fundada por Chico Xavier em Uberaba (Minas Gerais). Lá, Gasparetto realiza trabalhos de pictografia, realizando pinturas por intermédio de espíritos que em outras vidas foram artistas renomados. Em determinando momento, o espírito do artista francês Toulouse-Lautrec, que viveu entre 1864 e 1901 e se tornou um dos mais conhecidos e reverenciados pintores da história, trava um diálogo com o anfitrião, Chico Xavier, no qual se ouve o pintor agradecer ao médium com um sonoro "*merci*, Allan" (ou, em português, "obrigado, Allan"). Chico sorri discretamente em resposta.

Introdução

Nascer, viver, morrer, renascer ainda e progredir sempre, tal é a Lei.

Allan Kardec

31 de março de 1869. Hippolyte Léon Denizard Rivail não mais existia. Em seu lugar, havia assumido o pseudônimo Allan Kardec. Era o mesmo homem, mas suas ideias haviam se modificado sobremaneira, ainda que jamais se houvesse imaginado o líder que agora se tornara. Sabia há algum tempo que sua saúde já dava sinais de ceder diante da intensa rotina de trabalho a que se submetia, mas queria aproveitar cada instante para divulgar os ensinamentos dos espíritos que foram trazidos por intermédio de suas obras. Mas sua missão, por ora, já estava completada. O rompimento de um aneurisma, segundo relatos imprecisos da época (não houve exames que o comprovassem), ou talvez

um infarto fulminante, ocorrido por volta das onze horas da manhã, faz com que sua missão na Terra chegue ao final. Retorna, então, ao plano espiritual, de onde continuaria sua missão.

Seu corpo foi enterrado no cemitério de Montmartre e, um ano depois, seus restos mortais foram transferidos para o dólmen construído no cemitério do Père-Lachaise. O Espiritismo seria o legado deixado para milhões de praticantes em todo o mundo, e, mais de um século e meio após sua morte, o Brasil, maior país espírita do mundo, conta com mais de 30 milhões de simpatizantes da doutrina, segundo dados apurados pelo IBGE (Instituto Brasileiro de Geografia e Estatística). O nome Allan Kardec continua sendo reverenciado por todos que tomam contato com as explicações filosóficas trazidas pelos espíritos, que buscam responder a questões intrínsecas do ser humano, como: "De onde vim, por que estou aqui e para onde vou?".

Até breve, meu caro Allan Kardec, até breve

Vivemos, pensamos e operamos — eis o que é positivo. E que morremos, não é menos certo. Mas, deixando a Terra, para onde vamos? Que seremos após a morte? Estaremos melhores ou piores? Existiremos ou não? Ser ou não ser, tal a alternativa.

Allan Kardec

O dia seguinte ao desencarne do chamado Codificador – alcunha que ganhou por trazer as bases da doutrina espírita em suas obras, reunindo os ensinamentos dos espíritos de maneira sistemática por meio de perguntas cuidadosamente feitas e organizadas e ser, ele mesmo, seu maior divulgador – era de total consternação entre os participantes da Sociedade Parisiense de Estudos Espíritas, criada por ele quase onze anos antes, e entre outros milhares de seguidores em diferentes países que, aos poucos, recebiam a notícia do desencarne do Mestre, em um tempo em que notícias ruins (ou boas!) não chegavam tão rápido como hoje.

Para eles, restava o único ônus de ter convivido com um ser brilhante, a sensação de que o trabalho nunca mais seria o mesmo sem ele. Naquele instante de comoção, a pergunta que mais se faziam era: "Como será possível tocar os trabalhos sem Kardec?".

Muitos, inclusive, se questionavam se o Espiritismo sobreviveria sem a presença de seu devotado Codificador. Mesmo com a convicção da vida eterna e de que Kardec poderia lhes auxiliar a partir do outro lado, por intermédio de experientes médiuns, sentiam-se perdidos sem a presença do tão estimado Mestre, ao qual devotavam real admiração, a despeito de todas as divergências e conflitos que haviam se instalado na Sociedade Parisiense de Estudos Espíritas nos últimos anos. Todos tinham na figura de Kardec o professor disposto a buscar a conciliação, mesmo que, por vezes, o alvo de intrigas e maledicências tenha sido o próprio Codificador.

Marcado pela tristeza, o enterro de Kardec contou com a presença de seus companheiros de jornada – que, reunidos, buscavam forças para dar continuidade à sua obra. Alguns deles se tornaram muito conhecidos por seus trabalhos literários, como os pesquisadores Geley, Maxwell, Camille Flammarion, Richet, Gabriel Delanne, Henri Regnault e Léon Denis, entre outros nomes de peso.

Na despedida do corpo do Codificador, um dos que partilhavam da tristeza e incerteza do que estava por vir era o senhor Levent, vice-presidente da Sociedade Parisiense de Estudos Espíritas, que foi um dos primeiros a discursar sobre o túmulo de Allan Kardec, proferindo as seguintes palavras:

A vós, senhores, que, cada sexta-feira, vos reuníeis na sede da Sociedade, não tenho nenhuma necessidade de lembrar essa fisionomia ao mesmo tempo benevolente e austera, esse tato perfeito, essa justeza de apreciação, essa lógica superior e incomparável que nos parecia inspirada. A vós, que partilhavam todos os dias da semana os trabalhos do Mestre, não exporei seus labores contínuos, suas correspondências com os quatro cantos do mundo que lhe enviavam documentos sérios, classificados logo em sua memória e recolhidos preciosamente para serem submetidos a sua alta razão, e formar, depois de um trabalho minucioso, os elementos dessas preciosas obras que todos conheceis. Ah! Se, como a nós, vos era dado ver essa massa de materiais acumulados no gabinete de trabalho desse infatigável pensador; se, conosco, tivésseis penetrado no santuário de suas meditações, vereis esses manuscritos, uns quase terminados, os outros em curso de execução, outros, enfim, apenas esboçados, esparsos aqui e ali, e que pareciam dizer: Onde está, pois, nosso Mestre, sempre tão matinal à obra? Ah! Mais do que nunca vos exclamaríeis também, com acentos de lamentos de tal modo amargos, que lhe seriam quase ímpios: É preciso que Deus tenha chamado a ele o homem que poderia ainda fazer tanto bem; a inteligência tão plena de seiva, o farol, enfim, que nos tirou das trevas, e nos fez entrever esse novo mundo, bem de outro modo mais vasto, bem de outro modo admirável, quanto aquele que imortaliza o gênio de Cristóvão Colombo? Esse mundo, do qual ele havia apenas começado a nos fazer a descrição, e do qual já pressentíamos as leis fluídicas e espirituais. Mas tranquilizai-vos, senhores, por este pensamento tantas vezes demonstrado e lembrado por nosso presidente: "Nada é inútil na Natureza, tudo tem a sua razão de ser, e o que Deus faz é sempre bem feito". Não nos assemelhem a essas crianças indóceis, que, não compreendendo as decisões de seu pai, se permitem criticá-lo, às vezes mesmo censurá-lo. Sim, senhores, disto tenho a convicção mais profunda, e a expresso claramente: a partida de nosso caro e venerado Mestre era necessária! Não seríamos, aliás, ingratos e egoístas, se, não pensando senão no bem que ele nos fazia, nos esquecemos o direito que ele havia adquirido de ir fazer algum repouso na celeste pátria, onde tantos amigos, tantas almas de elite o esperavam e vieram recebê-lo depois de uma ausência que a eles também pareceu muito longa. Oh! Sim, é alegria, é grande festa no Alto, e essa festa e essa alegria não têm de indiferente senão a tristeza e o luto que causa sua partida entre nós, pobres exilados, cujo tempo não chegou ainda! Sim, o Mestre havia cumprido sua missão! E a nós cabe prosseguir sua obra, com a ajuda dos documentos que nos deixou, e daqueles, mais preciosos ainda, que o futuro nos reserva; a tarefa será fácil, disto estais seguros, se cada um de nós ousar se afirmar corajosamente; se cada um de nós compreendeu que a luz que ele recebeu deve ser propagada e comunicada aos seus irmãos; se cada um de nós, enfim, tem a memória do coração para com nosso lamentado presidente, e sabe compreender o plano de organização que colocou a última marca à sua obra. Continuaremos, pois, teus labores, caro Mestre, sob teu eflúvio benfazejo e inspirador; recebe aqui a promessa formal disso. É a melhor marca de afeição que possamos te dar. Em nome da Sociedade Parisiense de Estudos Espíritas não te dizemos adeus, mas até logo, até breve! [*R.E.*, 1869]

Na cerimônia, marcada pela comoção geral, outro eminente nome do Espiritismo, Camille Flammarion, que, anos antes, mais precisamente em 1865, havia proferido o discurso no enterro do senhor Didier, editor de Allan Kardec nas obras básicas do Espiritismo, teve oportunidade de discursar perante o túmulo de Kardec e deixar suas impressões sobre aquele momento de consternação. Em seu longo discurso, Flammarion expôs a missão do Espiritismo, falou sobre a carreira literária de Kardec antes de se interessar pelos fenômenos das mesas girantes e sobre todo o seu trabalho como Codificador. Em um dos momentos mais emocionantes, proferiu as seguintes palavras:

Deixamos somente descer de nossos pensamentos, sobre a face impassível do homem deitado diante de nós, os testemunhos de afeição e os sentimentos de pesar, que permanecem ao redor em seu túmulo, como um embalsamento do coração! E, uma vez que sabemos que sua alma eterna sobrevive a esse despojo mortal como ela o preexistiu; uma vez que sabemos que laços indestrutíveis ligam o nosso mundo visível ao mundo invisível; uma vez que esta alma existe hoje tão bem quanto há três dias, e que não é impossível que ela não se ache atualmente aqui diante de mim, dizemos que não queremos ver se dissipar sua imagem corpórea e encerrá-la em seu sepulcro, sem honrar unanimemente seus trabalhos e sua memória, sem pagar um tributo de reconhecimento à sua encarnação terrestre, tão útil e tão dignamente cumprida. [*R.E.*, 1869]

Flammarion falou ainda sobre as ações que o Mestre vinha executando nos últimos tempos no sentido de preparar a todos para a continuidade do estudo do Espiritismo após o seu desencarne. Nesse sentido, buscava a união dos espíritas e o término da rivalidade entre os espiritualistas e os espíritas, ou entre a corrente que se preocupa mais com os fenômenos espíritas e aqueles que se interessam muito mais pela parte filosófica dos ensinamentos, discussão esta que, anos depois, continuaria na própria Federação Espírita Brasileira. Seu dirigente, o célebre doutor Afonso Bezerra de Menezes, um dos mais notáveis espíritas de todos os tempos, teve que intervir na polêmica durante o período em que foi presidente da FEB, em 1889, e quando reconduzido ao cargo, entre 1895 e 1900, ano de seu desencarne.

No discurso, Camille Flammarion chamou Allan Kardec de "o bom senso encarnado", e reforçou que certamente todos eles se reencontrariam em um mundo melhor, onde poderiam continuar a estudar com mais recursos e a exercitar os ensinamentos trazidos pelos espíritos.

Flammarion foi sucedido por Alexandre Delanne, outro notável do Espiritismo, que agradeceu ao Codificador pelo "nobre coração, zelo e perseverança; pelas vigílias e labores; pela fé forte, e felicidade presente e futura; pelas lágrimas que secou, pelos desesperos que acalmou e pela esperança que fez renascer nas almas abatidas e desencorajadas".

Por fim, o senhor E. Muller falou em nome da viúva e amigos, também discorrendo sobre a vida de Kardec, definindo-o como "um obstinado trabalhador, que colocou sempre a razão em primeiro plano", e conclamando os presentes a honrarem o trabalho e os ensinamentos deixados pelo mestre e amigo.

Mais do que um evento de grande comoção para somente um pequeno grupo de seguidores, o falecimento de Kardec ganhou destaque em diversas publicações da época. Uma delas, o periódico *Le Journal*, de Paris, noticiou em 3 de abril de 1869:

Aquele que, tão longo tempo, ocupou o mundo científico e religioso sob o pseudônimo de Allan Kardec, tinha por nome Rivail e faleceu com a idade de 65 anos. Nós o vimos deitado sobre um simples colchão, no meio da sala em que ocorriam as sessões que ele presidia há muitos anos; nós o vimos, o rosto calmo, como se extinguem aqueles que a morte não surpreende, e que, tranquilo sobre o resultado de uma vida honestamente e laboriosamente cumprida, deixam como que um reflexo da pureza de sua alma sobre esse corpo que abandonam à matéria. Resignados pela fé numa vida melhor e pela convicção da imortalidade da alma, numerosos discípulos tinham vindo dar um último olhar àqueles lábios descoloridos que, ontem ainda, lhes falava a linguagem da Terra.

Assim, o Codificador deixava o corpo terrestre e se transformaria em mito, sendo referenciado até hoje não só pela obra deixada – considerada pelos espíritas trabalho do "consolador prometido", em alusão à profecia de Jesus Cristo de que viria um consolador que poderia explicar aquilo que em sua época Ele não tinha condição de explicar, senão por alegorias, dado o atraso de compreensão das pessoas de então; séculos depois, Ele seria mais bem compreendido. Assim, segundo o Espiritismo, o consolador não seria personificado em um novo Messias, mas sim nos conhecimentos trazidos por diferentes Espíritos, por meio de diversos médiuns. E, mesmo com todas as tentativas de opositores de denegrir sua biografia, nada houve que pudesse manchar o caráter correto e bondoso de Kardec, mesmo em face de todas as perseguições de que fora vítima por trazer algo que desafiava tudo o que se pensava até aquela época a respeito da vida futura.

Prova dessa veneração a Kardec é o texto publicado na *Revista Espírita*, edição de maio de 1869, portanto, logo após sua morte:

> *É sob o golpe da dor profunda causada pela partida prematura do venerável fundador da Doutrina Espírita, que abordamos uma tarefa, simples e fácil para suas mãos sábias e experimentadas, mas cujos peso e gravidade nos oprimiriam, se não contássemos com o concurso efi-*

caz dos bons espíritos e a indulgência de nossos leitores. Quem, entre nós, poderia, sem ser tachado de presunçoso, se gabar de possuir o espírito de método e de organização do qual se iluminam todos os trabalhos do Mestre? Só sua poderosa inteligência podia concentrar tantos materiais diversos, e triturá-los, transformá-los, para derramá-los em seguida, como um orvalho benfazejo, sobre as almas desejosas de conhecer e de amar. Incisivo, conciso, profundo, ele sabia se fazer compreender numa linguagem ao mesmo tempo simples e elevada, tão afastado do estilo familiar quanto das obscuridades da metafísica. Multiplicando-se sem cessar, até aqui, ele tinha podido bastar a tudo. No entanto, o crescimento diário de suas relações e o desenvolvimento incessante do Espiritismo o fizeram sentir a necessidade de reunir alguns ajudantes inteligentes, e ele preparava simultaneamente a organização nova da doutrina e de seus trabalhos, quando nos deixou para ir a um mundo melhor, recolher a sanção da missão cumprida, e reunir os elementos de uma nova obra de devotamento e de sacrifício. Ele era só! Nós nos chamaremos legião, e, embora fracos e inexperientes que sejamos, temos a íntima convicção de que nos manteremos à altura da situação, se, partindo dos princípios estabelecidos e de uma evidência incontestável, nós nos fixarmos em executar, tanto quanto nos será possível e segundo as necessidades do momento, os projetos de futuro que o próprio senhor Allan Kardec se propunha cumprir. Enquanto estivermos neste caminho e todas as boas vontades se unirem num comum esforço para o progresso e a regeneração intelectual e moral da humanidade, o Espírito do grande filósofo estará conosco e nos secundará com sua poderosa influência. Possa ele suprir a nossa insuficiência, e possamos nós nos tornar dignos de seu concurso, em nos consagrando à obra com tanto de devotamento e de sinceridade, senão com tanto de ciência e de inteligência! Ele havia escrito sobre sua bandeira estas palavras: "Trabalho, solidariedade, tolerância". Sejamos, como ele, infatigáveis; sejamos, segundo seus votos, tolerantes e solidários, e não temamos seguir seu exemplo em remetendo vinte vezes ao estaleiro os princípios ainda em discussão. Apelemos a todos os concursos, a todas as luzes. Tentaremos avançar com certeza antes do que com rapidez, e nossos esforços não serão infrutíferos, se, como disto estamos persuadidos, e como disto daremos o primeiro exemplo, cada um se fixar em cumprir seu dever, pondo de lado toda questão pessoal a fim de contribuir para o bem geral. Não poderíamos entrar sob auspícios mais favoráveis na nova fase que se abre para o Espiritismo, do que em fazendo conhecer, aos nossos leitores, num rápido esboço, o que foi toda a sua vida, o homem íntegro e honrado, o sábio inteligente e fecundo, cuja memória se transmitirá aos séculos futuros, cercada da auréola dos benfeitores da humanidade.

Amélie-Gabrielle Boudet, esposa de Allan Kardec, por ocasião do falecimento do marido e sendo sua única herdeira, toma a decisão de doar anualmente à Sociedade Parisiense de Estudos Espíritas o excedente dos benefícios provenientes da venda dos livros espíritas, das assinaturas da revista e das operações da livraria espírita, sob a condição de que os recursos sejam usados para a impressão de obras existentes e de novas publicações e para o aluguel e despesas gerais da Sociedade e da livraria espírita. O tesoureiro teria a obrigação de prestar a devida conta dos valores, publicando-a na *Revista Espírita* para que todos pudessem acompanhá-la. Além disso, ela passa a ser responsável por vistoriar os artigos que serão publicados na *Revista Espírita* a partir da redação e seleção feita por uma comissão central.

Allan Kardec, por sua vez, como era esperado por seus companheiros da Sociedade Parisiense de Estudos Espíritas, se comunicou por intermédio de médiuns, trazendo seu agradecimento e palavras de grande incentivo àqueles que aqui prosseguiriam com sua missão.

Como vos agradecer, senhores, pelos vossos bons sentimentos e das verdades eloquentes expressadas sobre meu despojo mortal; disto não duvideis, eu estava presente e profundamente feliz, tocado pela comunhão de pensamentos que nos unia pelo coração e pelo espírito. Obrigado, meu jovem amigo Camille Flammarion, obrigado por haverdes afirmado como o fizestes; vós exprimistes com calor; assumistes uma responsabilidade grave, séria, e esse ato de independência será duplamente contado; não tereis nada perdido em dizer o que as vossas convicções e a ciência impõem. Em agindo assim, podeis ser discutido, mas sereis honrado a justo título. Obrigado a todos, caros colegas, meus amigos; obrigado ao Le Journal, *que começa um ato de justiça, pelo artigo de um bravo e digno coração. Obrigado, caro senhor Delanne, obrigado E. Muller, recebei a expressão de meus sentimentos de viva gratidão todos que apertastes afetuosamente a mão de minha corajosa companheira. Como homem, estou muito feliz pelas boas lembranças e pelos testemunhos de simpatia que me prodigalizais; como espírita, eu vos felicito pelas determinações que tomastes para assegurar o futuro da Doutrina; porque, se o Espiritismo não é minha obra, pelo menos eu lhe dei tudo o que as forças humanas me permitiram. E como colaborador enérgico e convicto, como combatente de todos os instantes, da grande Doutrina deste século que eu amo, ficaria infeliz se a visse perecer, se tal coisa fosse possível. Ouvi, com um sentimento de profunda satisfação, meu amigo, vosso novo e digno presidente vos dizer: ajamos de acordo, vamos despertar os que há muito tempo não raciocinam mais, vamos reavivar os que raciocinam! Que não seja Paris, que não seja a França o teatro de vossa ação, vamos por toda a parte! Vamos dar à humanidade inteira a mão que lhe faz falta; vamos dar o exemplo da tolerância que ela esquece, da caridade que ela conhece tão pouco! Agistes para assegurar a vitalidade da Sociedade. Tendes o desejo sincero de caminhar com firmeza no caminho traçado, mas não basta querer hoje, amanhã, depois de amanhã; para ser digno da Doutrina é preciso querer sempre! A vontade, que age por impulsos, não é mais vontade, é o capricho do bem, mas, quando a vontade se exerce com a calma que nada perturba, com a perseverança que nada detém, ela é a verdadeira vontade, inabalável em sua ação, frutífera em seus resultados. Sede confiantes em vossas forças; elas produzirão grandes efeitos se as empregardes com prudência; sede confiantes na força da ideia que vos reúne, porque ela é indestrutível. Pode-se ativá-la ou retardar-lhe o desenvolvimento, mas detê-la é impossível. Na fase nova em que entramos, a energia deve substituir a apatia, a calma deve substituir o ímpeto. Sede tolerantes uns para com os outros; agi sobretudo pela caridade, pelo amor, pela afeição. Oh! se conhecêsseis todo o poder desta alavanca! Foi dela que Arquimedes pôde dizer, que com ela ergueria o mundo! Vós o erguereis, meus amigos, e essa transformação esplêndida, que se efetuará por vós em proveito de todos, marcará um dos mais maravilhosos períodos da história da humanidade. Coragem e especialmente esperança, que é esse facho que vossos irmãos infelizes não podem perceber através das trevas do orgulho, da ignorância e do materialismo. Amai e fazei com que vos amem, que vos escutem, que vos olhem! Quando eles tiverem visto, ficarão deslumbrados. Quanto serei feliz então, meus amigos, meus irmãos, ao ver que meus esforços não terão sido inúteis, e que o próprio Deus terá abençoado a nossa obra! Em tal dia haverá no céu uma grande alegria, uma grande ebriedade! A humanidade será libertada do julgo terrível das paixões, que aprisionam e caem sobre ela com um peso esmagador. Não haverá mais, então, sobre a Terra, nem mal, nem sofrimento, nem dor, pois os verdadeiros males, os sofrimentos reais, as dores cruciais vêm da alma. O resto não é senão o roçar fugitivo de uma sarça sobre uma veste! Ao clarão da liberdade e da caridade humanas, lodosos homens se reconhecendo dirão: "nós somos irmãos" e não terão mais no coração senão um mesmo amor, na boca senão uma só palavra, nos lábios senão um único murmúrio: Deus!* [*R.E.*, 1869]

Em homenagem ao querido Mestre, os membros da Sociedade Parisiense de Estudos Espíritas decidiram erguer um monumento junto ao túmulo de Kardec composto de um dólmen com o nome Allan Kardec e a epígrafe: "Todo efeito tem uma causa, todo efeito inteligente tem uma causa inteligente; o poder da causa inteligente está em razão da grandeza do efeito".

Além dessa frase, na construção, que pode ser visitada até hoje em Paris, há a epígrafe: "*Naître, mourir, renaître encore et progresser sans cesse, telle est la Loi*" (em português: "Nascer, morrer, renascer ainda e progredir sem cessar, tal é a Lei" – uma frase que certamente resume as crenças do Codificador).

Kardec suicida?

A calma e a resignação adquiridas na maneira de considerar a vida terrestre e a confiança no futuro dão ao Espírito uma serenidade que é o melhor preservativo contra a loucura e o suicídio.

Allan Kardec

Muitos anos após sua morte, alguns adversários do Espiritismo começaram a espalhar aos quatro cantos a teoria de que Allan Kardec havia se suicidado. Para o Espiritismo, o suicídio pode se dar de maneira consciente ou inconsciente. O primeiro caso ocorre quando o encarnado tira diretamente a própria vida; o segundo, quando ele se coloca em situação de risco de maneira involuntária, ao negligenciar cuidados médicos, expor seu corpo físico a intenso estresse, ao se envolver em situações que coloquem sua vida em risco, entre outros.

Para afirmar que Kardec se suicidara ao negligenciar completamente as advertências médicas, os adversários do Espiritismo se basearam em uma comunicação específica transcrita na *Revista Espírita*, em fevereiro de 1865, referente à enfermidade que o havia acometido, mensagem esta que o próprio Codificador escolheu para ser publicada e, na ocasião, justificou tratar-se de uma demonstração de gratidão ao Espírito do médico doutor Demeure, na época já desencarnado, que continuava velando por sua saúde, e também de um alerta a quem a estivesse lendo.

Meu bom amigo, tende confiança em nós, e boa coragem; esta crise, embora fatigante e dolorosa, não será longa, e, com os comedimentos prescritos, podereis, segundo os vossos desejos, completar a obra da qual vossa existência foi o objetivo principal. Portanto, sou eu que estou sempre aí, junto de vós, com o Espírito de Verdade que me permite tomar em seu nome a palavra, como o último de vossos amigos vindo entre os espíritos! Eles me fazem a honra das boas-vindas. Caro Mestre, quanto sou feliz de ter morrido em tempo para estar com eles neste momento! Se tivesse morrido mais cedo, teria talvez podido vos evitar essa crise que não previa; havia pouco tempo que tinha desencarnado para me ocupar de outra coisa senão do espiritual; mas agora velarei sobre vós, caro Mestre, é vosso irmão e amigo que está feliz de ser Espírito para estar junto de vós e vos dar os cuidados em sua doença; mas conheceis o provérbio: "Ajuda-te e o céu te ajudará". Ajudai, pois, os bons espíritos nos cuidados que vos dão, vos conformando estritamente às suas prescrições: "Faz muito calor aqui; este carvão é fatigante. Enquanto estiverdes doente, não o queimeis; ele continua a aumentar a vossa opressão; os gases que dele se desprendem são deletérios". [*R.E.*, 1865]

Essa mensagem inicial foi sucedida por uma nova comunicação, apenas um dia depois.

Sou eu, Demeure, o amigo do senhor Kardec. Venho dizer-lhe que estava junto dele quando do acidente que lhe ocorreu, e que teria podido ser funesto sem uma intervenção eficaz para a qual fiquei feliz em concorrer. Segundo as minhas observações e as informações que hauri em boa fonte, é evidente para mim que, quanto mais cedo a sua desencarnação se operar, mais cedo poderá se fazer a reencarnação pela qual virá acabar a sua obra. No entanto, lhe é preciso dar, antes de partir, a última mão nas Obras que devem completar a teoria doutrinária da qual é o iniciador, e ele se torna culpado de homicídio voluntário contribuindo, por excesso de trabalho, ao defeito de seu organismo que o ameaça de uma súbita partida para os nossos mundos. Não é preciso temer de dizer-lhe toda a verdade, para que se mantenha em guarda e siga ao pé da letra as nossas prescrições. [*R.E.*, 1865]

Mesmo reconhecendo que Kardec poderia ter reduzido seu nível de atividade e respeitado maior repouso médico em vida, sabe-se pelas explicações trazidas muitos anos depois no livro *Nosso lar*, psicografia do espírito André Luiz pelo médium Chico Xavier – livro este que recebeu uma versão cinematográfica em 2010 –, que só é considerado suicida involuntário aquele que se prende a algum tipo de vício ou pensamento menos elevado, gerador de estresse e fadiga do corpo, ou aquele que se expõe a risco que poderia ser evitado. Nenhum desses foi o caso de Kardec, que somente se dedicou com grande afinco à sua missão, que por ora estava concluída.

65 ANOS ANTES...

SEJAM QUAIS FOREM OS PRODÍGIOS REALIZADOS PELA INTELIGÊNCIA HUMANA, ESTA INTELIGÊNCIA TEM TAMBÉM UMA CAUSA PRIMÁRIA. É A INTELIGÊNCIA SUPERIOR A CAUSA PRIMÁRIA DE TODAS AS COISAS, QUALQUER QUE SEJA O NOME PELO QUAL O HOMEM A DESIGNE.

ALLAN KARDEC

A França estava em ebulição. Havia se tornado em pouco tempo a capital intelectual e militar do mundo, ainda impactada pelos efeitos da Revolução Francesa, ocorrida entre 1789 e 1799. No período revolucionário, houve a deposição e a execução do monarca Luís XVI e a substituição da monarquia pelo regime republicano, que se fez sob o lema "liberdade, igualdade e fraternidade". Sucedeu-se a esse período a era napoleônica, entre 1804 e 1815, marcada pela ascensão militar francesa em todo o continente europeu. O país foi alçado à posição de centro do poder mundial, tendo se envolvido em diversas guerras contra vizinhos e passando a ser temido em todo o mundo, subjugando e invadindo diversos países. Em 1808, a monarquia portuguesa, chefiada por Dom João VI, veio escoltada pela marinha inglesa para o Brasil, país para o qual transferiu a capital do Império, justamente para fugir do exército de Napoleão, que ameaçava invadir Portugal se este não deixasse de se alinhar ao Império Britânico, a maior potência marítima da época e parceiro de longa data da burguesia portuguesa. Sem o monarca e toda a corte real, que se exilaram no Brasil, Portugal foi presa fácil, e não ofereceu resistência alguma às poderosas tropas napoleônicas.

Esse período de intenso poder se estendeu até 1815, quando finalmente o exército francês foi derrotado na Batalha de Waterloo, que marcou o fim derradeiro da era napoleônica.

É nesse contexto que nasce, às sete da noite do dia 3 de outubro de 1804, na cidade de Lyon, o filho do juiz Jean-Baptiste Antoine Rivail e de Jeanne Louise Duhamel, descendente de uma família de advogados e magistrados. Batizado Hippolyte Léon Denizard Rivail, ele se tornou mundialmente conhecido como Allan Kardec.

Desde muito cedo, os pais puderam notar no filho a atenção que dedicava à busca pelo conhecimento. Uma criança comum no gosto pelas brincadeiras, Rivail tinha uma disciplina incomum, todavia, quando o assunto era estudo, destacando-se desde muito cedo por sua inteligência acima da média e trazendo orgulho para seu pai, do qual herdara boa parte do interesse pelos estudos. Esperava-se que mantivesse a tradição familiar de atuação na magistratura.

Aos dez anos, mudou-se para a cidade de Yverdon-les-Bains, na Suíça, para que pudesse estudar em regime de internato no conhecido instituto fundado pelo célebre educador Johann Heinrich Pestalozzi, um revolucionário em termos de métodos educacionais que privilegiava a intuição como fonte do conhecimento.

Célebre em todo o mundo, o renomado educador Pestalozzi nasceu em Zurique a 12 de janeiro de 1746 e viveu por 81 anos, até 17 de fevereiro de 1827. Considerado por muitos o pioneiro da pedagogia moderna, influenciou profundamente todas as correntes educacionais, sendo uma referência mundial para educadores, muitos dos quais seguem até hoje seu método. Em linhas gerais, Pestalozzi dizia que a escola não era somente uma extensão do lar, mas parte dele, e tinha como missão passar para as crianças segurança e amor, que ele considerava parte essencial na educação.

O método Pestalozzi encoraja os alunos a deduzirem por si, usando a intuição, o conteúdo das disciplinas, em vez de receberem tudo "mastigado" e simplesmente terem o trabalho de decorar. Em outras palavras, são levados a pensar, a refletir e a apreender o conteúdo.

Apesar de sua carreira brilhante na educação, Pestalozzi só passou a ter destaque depois dos seus cinquenta anos, quando fundou a escola de Yverdon, que reunia estudantes de todo o mundo e foi visitada por grandes educadores da época.

Rivail chegara, portanto, no auge do instituto, e lá pôde conviver com estudantes de diferentes nações, além de tomar contato com o método revolucionário do educador, do qual se tornou um dos principais discípulos.

Os anos que passou junto a Pestalozzi influenciariam para sempre o jovem lionês, que saiu de lá não só bacharel em Ciências e Letras, mas também poliglota em alemão, francês, inglês, holandês, italiano e espanhol. Apesar de alguns biógrafos afirmarem que ele recebeu o título de doutor em Medicina, não há evidência de que isso tenha ocorrido, ainda que seja plausível que tivesse conhecimento avançado na área, dado que era um pesquisador dedicado e estudioso em diferentes campos do conhecimento.

Segundo o biógrafo Jean Vartier, Pestalozzi foi tão importante para Rivail que pode ser considerado seu pai espiritual, da mesma forma que o célebre Jean-Jacques Rousseau foi o pai espiritual de Pestalozzi.

Em decorrência de seu empenho, aos catorze anos Rivail começou a ensinar alunos mais novos dentro do instituto e passou a se destacar como um de seus pupilos mais avançados, tendo a oportunidade de liderar diversos grupos de estudo que ajudaram a formar as bases para que ele próprio se tornasse um grande educador, tão logo deixou Yverdon – em data que causa divergência entre seus biógrafos, que apontam variações no período entre 1819 e 1824.

AUF WIEDERSEHEN, OU ADEUS, PESTALOZZI

O PRESENTE É POSITIVO, OCUPEMO-NOS DELE PRIMEIRO, QUE O FUTURO POR SUA VEZ VIRÁ.

ALLAN KARDEC

Ao deixar o instituto em Yverdon, Rivail voltou a Paris para morar novamente com seus pais, que na época residiam há tempos na rua Harpa, 117. Já era um belo rapaz, descrito como dono de um humor jovial e bondoso, sempre disposto a prestar auxílio a quem precisasse.

Seguindo sua vocação, tratou logo de iniciar a carreira literária, tendo feito inicialmente a tradução de diversas obras para o alemão e para o inglês, idiomas em que era especialista. Na sequência, colocou-se a redigir seu primeiro livro, intitulado *Curso prático e teórico de aritmética*, livro que tinha o objetivo de fornecer noções básicas de aritmética e que foi publicado em dezembro de 1823, embora estampasse em sua folha de rosto o ano de 1824. Na época, o autor tinha apenas dezenove anos. O livro se tornou um sucesso para a época, sendo adotado por diversas escolas francesas como obra de referência.

Impulsionado por sua paixão pela escrita, que seria decisiva para o cumprimento da sua missão, ele não largou mais a vocação, que o acompanharia pelo resto da existência, tendo escrito na sequência muitas outras obras, como: *Plano proposto para a melhoria da instrução pública* (1828), *Gramática francesa clássica* (1831), *Qual o sistema de estudo mais apropriado com as necessidades da época?* (1831), *Manual dos exames para os títulos de capacidade: soluções racionais de questões e problemas de aritmética e de geometria* (1846), *Catecismo gramatical da língua francesa* (1848), *Programa dos cursos ordinários de química, física, astronomia, fisiologia* (1849), *Ditados normais dos exames da municipalidade e da Sorbona* (1849) e *Ditados especiais sobre as dificuldades ortográficas* (1849).

Em meados de 1825, após obter isenção do serviço militar, funda em Paris a Escola de Primeiro Grau e passa a dirigi-la. No ano seguinte, o educador abre uma nova instituição, o Instituto Rivail, estabelecido à rua de Sèvres, 35, e que se manteve aberto até 1834, seguindo o modelo educacional com o qual teve contato na instituição de Pestalozzi.

O encerramento de suas atividades deu-se em virtude de problemas financeiros, agravados pela dificuldade financeira de um dos seus tios, que foi apoiador financeiro do empreendimento. Segundo relatos, esse tio era viciado em jogos de azar e, após perder vultosa soma na mesa de jogo, solicitou a liquidação do instituto para fazer jus à sua parte financeira no negócio e quitar as dívidas.

Segundo seus biógrafos, o valor que coube a Rivail com o término da sociedade foi entregue aos cuidados de um amigo íntimo, que era negociante e investiu o valor em um negócio que acabou malsucedido, fazendo com que ele perdesse por fim todo o capital de que dispunha.

Rivail teria que recomeçar, após perder tudo o que acumulara até então. Felizmente, ele não estaria só nesta empreitada. Pouco antes, tivera um encontro com aquela que seria a companheira de toda a sua jornada na Terra e sem a qual possivelmente não tivesse tido o mesmo êxito em sua missão como propagador do Espiritismo.

ALMAS AFINS

NÃO SÃO OS DA CONSANGUINIDADE OS VERDADEIROS LAÇOS DE FAMÍLIA, E SIM OS DA SIMPATIA E DA COMUNHÃO DE IDEIAS, OS QUAIS PRENDEM OS ESPÍRITOS ANTES, DURANTE E DEPOIS DE SUAS ENCARNAÇÕES.

ALLAN KARDEC

O professor, sempre compenetrado, foi enfim tirado do seu controle habitual. Inexperiente nesse campo, ainda não tinha sido fisgado pela flecha do cupido do amor. Deu-se o feito graças a Amélie-Gabrielle Boudet, uma mulher de estatura baixa, olhar sereno, modos gentis e graciosos que instantaneamente cativou o jovem lionês, que logo a desejou como companheira de vida, também por compartilhar como ele o amor pelas letras e educação.

Professora de Artes e Letras, nascida em 23 de novembro de 1795 – nove anos antes de Rivail, portanto –, Boudet era filha de um rico tabelião e autora de três livros, *Contos primaveris*, *Noções de desenho* e *O essencial em belas-artes*, de 1825, 1826 e 1828, respectivamente. De sua parte, ela também se encantou pelo jovem professor, descrito por Anna Blackwell, tradutora das obras de Allan Kardec para o inglês e uma de suas biógrafas, como "de estatura pouco abaixo da média, compleição forte, cabeça grande, redonda e maciça, feições bem delineadas e olhos cinza-claros, parecendo mais alemão do que francês; enérgico, determinado, de temperamento calmo, cauteloso, não imaginativo quase até a frieza, incrédulo por natureza e educação".

Além dessa descrição física, Anna Blackwell revela outros traços da personalidade do educador que certamente foram decisivos em sua obra e no interesse que despertara em Amélie-Gabrielle.

Pensador rigoroso e lógico, eminentemente prático de pensamentos e atos, mantinha-se livre de misticismos e arrebatamentos; grave, vagaroso no falar, simples de maneiras, deixava transparecer a dignidade serena, resultante da determinação e da franqueza – traços distintos de seu caráter. Não provocava nem evitava a discussão: voluntariamente não tocava no assunto a que dedicara sua vida, mas recebia, com afabilidade, inúmeros visitantes de todas as partes do mundo, os quais vinham com ele conversar a respeito das ideias de que era reconhecido expoente. Respondia-lhes, então, às perguntas e objeções, aplainando dificuldades, dando informações a todos os investigadores sérios, com os quais falava com liberdade e entusiasmo. Seu rosto, por vezes, iluminava-se com um sorriso franco e amável; contudo, ninguém o surpreendia rindo, haja vista sua habitual sobriedade. [*H.E.*, 2013]

Casaram-se em 6 de fevereiro de 1832 e não tiveram filhos. Permaneceram unidos durante toda a vida de Rivail, que faleceu bem antes dela, apesar de ser nove anos mais novo. Em todos os momentos, ele contou com o apoio decisivo da esposa, que, após seu desencarne, continuou a se envolver diretamente nos trabalhos da *Revista Espírita* e da livraria da Sociedade Parisiense de Estudos Espíritas, até o próprio desencarne, em 21 de janeiro de 1883, quando contava 89 anos.

Um recomeço

Sede pacientes; a paciência também é uma caridade, e deveis praticar a lei de caridade ensinada pelo Cristo, enviado de Deus.

Allan Kardec

Era hora de reconstruir o patrimônio da família, dilapidado pelo fechamento do instituto e pelo "amigo" que perdeu todo o dinheiro que lhe fora confiado. Ao se verem nessa situação, Rivail e sua esposa se colocam a desenvolver diversas atividades para garantir o sustento. Uma delas, a criação de um pequeno pensionato para mulheres na zona suburbana de Paris, que dava ao casal escassos recursos.

Para aumentar a renda, Rivail começou a atuar como contador de três empresas durante o dia e à noite fazia traduções de livros, além de se dedicar à redação de suas obras, que rendiam algum dinheiro por conta dos direitos autorais recebidos. Somavam-se a isso os recursos que lhe rendiam seus títulos já publicados, como *Gramática francesa clássica*, de 1831, obra que virou referência para o estudo dos princípios e regras da língua francesa.

Além dessas tarefas, o professor se dedicou a ministrar cursos públicos de matemática e astronomia para angariar mais recursos.

Embora biógrafos divirjam quanto à data exata, é provável que tenha sido nesse período que o professor Rivail organizou em sua casa, à rua de Sèvres, alguns cursos gratuitos de química, física, astronomia e anatomia comparada, que foram frequentados por uma quantidade grande de alunos e nos quais pôde pôr em prática não só seu ofício de professor, mas também sua missão de auxiliar aqueles que não contavam com recursos para pagar pelo estudo.

Nessa época, Rivail já era um grande pensador e membro de várias sociedades e instituições da intelectualidade parisiense, como a Société Grammaticale, ou Sociedade gramatical; a Société pour l'Instruction Élémentaire, ou Sociedade para a instrução elementar; Société de Prévoyance des Chefs d'Institution et des Maîtres de Pension de Paris, ou Sociedade de previdência dos diretores de instituições de

Paris; Institut des Langues, ou Instituto de línguas; Société des Sciences Naturelles de France, ou Sociedade das ciências naturais da França; Société Royale d'Émulation d'Agriculture, Sciences, Letters et Arts du Département de L'Ain, ou Sociedade real de emulação, de agricultura, ciências, letras e artes do Departamento do Ain; Société d'Encouragement pour l'Industrie Nationale, ou Sociedade promotora da indústria nacional; Société Française de Statistique Universelle, ou Sociedade francesa de estatística universal; Académie de l'Industrie Agricole, Manufacturière et Commerciale, ou Academia da indústria agrícola, manufatureira e comercial; Institut Historique, ou Instituto histórico; e Société Royale des Sciences, des Letters et des Arts, ou simplesmente Académie d'Arras (Academia de Arrás), na qual ele venceu um importante concurso sobre ensino e educação, em 1831.

Graças ao seu trabalho e dedicação, em pouco tempo conseguiu se recuperar do revés financeiro e poderia prosseguir em sua carreira literária e como pedagogo, tendo uma vida sem grande dificuldade financeira; porém algo mudou radicalmente os planos do professor lionês.

O Magnetismo entra em sua vida

Toda crença é respeitável, quando sincera e conducente à prática do bem. Condenáveis são as crenças que conduzam ao mal.

Allan Kardec

Originário da antiguidade grega, o Magnetismo só passou a ser tido como uma ciência, ainda que muito contestada, no início do século XIX, graças ao trabalho do alemão Franz Anton Mesmer, que é considerado o pai do Magnetismo animal.

Em linhas gerais, ele afirmava que era possível que uma pessoa influenciasse a outra a partir da sua vontade por meio dos fluidos magnéticos, o que atualmente é chamado pelos espíritas de passe magnético – diferente do passe espiritual, em que existe a ação de um espírito.

O jovem Rivail, adepto da fenomenologia – que, em linhas gerais, prega que não se deve ter qualquer ideia preconcebida ao analisar determinado fenômeno e que se busque sempre a experimentação prática –, rapidamente se interessou pelo estudo do Magnetismo a partir de 1824, quando tomou contato com a nova ciência.

Mal sabia ele que esse conhecimento seria, no futuro, decisivo para seu interesse sobre os fenômenos que levaram ao surgimento do Espiritismo. E, mais do que isso, que encontraria grande relação entre Magnetismo e Espiritismo, citando inúmeras vezes o Magnetismo em suas reflexões.

Uma delas, publicada na *Revista Espírita* em março de 1858, revela a afinidade existente entre Magnetismo e Espiritismo, na visão do Codificador.

Quando apareceram os primeiros fenômenos espíritas, algumas pessoas pensaram que essa descoberta iria dar um golpe fatal no Magnetismo, e que ocorreria com ele como com as invenções, das quais as mais aperfeiçoadas fazem esquecer a precedente. Esse erro não tardou em se dissipar, e, prontamente, se reconheceu o parentesco próximo dessas duas ciências. Todas as duas, com efeito, baseadas sobre a existência e a manifestação da alma, longe de se combaterem, podem e devem se prestar um mútuo apoio: elas se completam e se explicam uma pela outra. [*R.E.*, 1858]

Segundo o professor:

O Magnetismo preparou os caminhos do Espiritismo, e os rápidos progressos desta última doutrina são, incontestavelmente, decorrentes da vulgarização das ideias da primeira. Dos fenômenos magnéticos, do sonambulismo e do êxtase, às manifestações espíritas, não há senão um passo; sua conexão é tal que é, por assim dizer, impossível falar de um sem falar do outro. Se devêssemos ficar fora da ciência magnética, nosso quadro estaria incompleto, e se poderia nos comparar a um professor de física que se abstivesse de falar da luz. Todavia, como o Magnetismo já tem entre nós órgãos especiais, justamente autorizados, tornar-se-ia supérfluo cair sobre um assunto tratado com a superioridade do talento e da experiência; dele não falaremos, pois, senão acessoriamente, mas suficientemente para mostrar as relações íntimas das duas ciências que, na realidade, não fazem senão uma. [*R.E.*, 1858]

Porém, em 1848, do outro lado do Atlântico, na cidade de Hydesville, distrito rural de Nova York, nos Estados Unidos, um fenômeno propiciaria uma sequência de eventos que transformaria para sempre a vida do jovem professor, que, além do Magnetismo, iria se interessar pelo estudo de algo que jamais imaginara existir.

No outro lado do mundo: irmãs Fox

Médium é toda pessoa que sente, num grau qualquer, a influência dos Espíritos. Essa faculdade é inerente ao homem e, por conseguinte, não constitui um privilégio exclusivo. Por isso mesmo, raras são as pessoas que não possuem alguns rudimentos dessa faculdade. Pode-se, pois, dizer que todos são mais ou menos médiuns.

Allan Kardec

Em 1837, nasce nos Estados Unidos a jovem Katherine Fox, que viveu até 1892 e seria considerada uma das maiores médiuns de efeitos físicos da história. Sua irmã, Margaret Fox, nascida em 1833, recebeu o mesmo nome da mãe e morreu um ano após Katherine. Juntas, elas ficaram mundialmente conhecidas como as irmãs Fox, e tiveram influência central na propagação dos fenômenos espirituais no mundo todo.

O início de todos os fenômenos se deu em 1848, quando Maggie e Kate, como eram conhecidas, se mudaram com seus pais, John e Margaret, para uma nova casa na pequena cidade de Hydesville, Nova York, e passaram a ouvir diariamente ruídos de batidas nas paredes e portas.

Esses barulhos assustaram muito os novos moradores, que, em vão, passaram a procurar a origem das pancadas que ouviam. Sem sucesso na busca, concluíram que a casa estava "mal-assombrada".

Certo dia, porém, mais precisamente em 31 de março de 1848, as meninas resolveram imitar os barulhos que ouviam estalando os dedos. Imbuída por um impulso adolescente, Kate, a mais nova delas, começou a pedir para quem estivesse fazendo aqueles barulhos que também fizesse o mesmo barulho que ela fazia com os dedos. A surpresa foi grande quando ela e os outros moradores perceberam que as batidas seguiam exatamente o som produzido por Kate.

Entusiasmada com o que estava acontecendo, sua irmã Margaret começou a bater palmas e pediu que fosse feita uma contagem até quatro. O pedido foi seguido de quatro batidas.

Em um primeiro momento, as meninas e os pais que acompanhavam aquela cena única acharam que se tratava de alguém escondido que desejava pregar uma peça, mas, mesmo assim, continuaram com a "brincadeira".

A mãe das meninas, que tinha também o nome de Margaret, começou a fazer perguntas que poderiam desmascarar alguém que estivesse escondido e certamente não saberia as respostas.

Inicialmente, ela perguntou a idade de cada um dos seus filhos, incluindo a de uma filha que havia morrido anos atrás. As batidas que ouviu reproduziram exatamente a quantidade de toques correspondente à idade de cada um dos filhos. Então, resolveu questionar se era um humano ou um espírito que ali estava, convencionando uma batida para humano e duas batidas para um espírito. A pergunta foi seguida pelo som de duas batidas.

Envolvidos completamente pela situação, os habitantes da casa perguntaram se o espírito que ali estava havia sido assassinado, convencionando novamente uma batida para não e duas para sim.

Ouviram-se duas batidas.

Margaret, a mãe das adolescentes, imbuída de espírito investigativo, então questionou se o assassino ainda vivia, e ouviu as mesmas duas batidas.

O interrogatório levou a família a descobrir, entre outras coisas, que o espírito havia sido assassinado naquela casa, deixando esposa e cinco filhos, e que seu corpo estava enterrado na adega.

De posse de tais informações, ela questionou se poderia convidar os vizinhos a participar da conversa para que pudessem presenciar o que estava acontecendo na casa. A resposta foi afirmativa. Na presença dos vizinhos, novas informações sobre o caso foram obtidas, chegando-se à data do acontecimento e ao relato de que o homem fora assassinado com facadas no pescoço por causa de uma dívida de 500 dólares e teve seu corpo enterrado na noite seguinte no porão, onde existia uma adega.

Em uma pequena cidade como Hydesville, não é de se estranhar que o fenômeno tenha se espalhado e atraído a curiosidade de todos, fazendo com que as sessões de interrogatório fossem acompanhadas por até 300 pessoas em certo momento. A cada sessão, o método de investigação ia sendo aprimorado e logo foi criado um código para as respostas, em que cada pancada corresponderia a uma letra específica. Assim, não foi difícil identificar o caixeiro-viajante Charles B. Rosma como o espírito assassinado aos 31 anos por conta da dívida e enterrado no porão da casa.

Seguindo o relato do espírito, no verão de 1848, após uma série de escavações na adega, David Fox, irmão das meninas, encontrou ossos e cabelos que pertenciam a um esqueleto humano.

Porém, somente 56 anos depois houve uma descoberta que comprovou definitivamente que alguém fora enterrado no porão da casa da família Fox. O encontro da prova que faltava foi narrado na edição de 23 de novembro de 1904 do *The Boston Journal*, um jornal sem nenhuma ligação com o Espiritismo ou com correntes espiritualistas, que estampou em suas páginas a seguinte notícia:

Rochester, Nova York, 22 de Novembro de 1904. Foi encontrado, nas paredes da casa antes ocupada pelas irmãs Fox, o esqueleto do homem provavelmente causador das batidas que elas ouviram inicialmente em 1848, afastando, de vez, a única sombra de dúvida de sua sinceridade em relação à descoberta da comunicação dos espíritos. As irmãs declararam haver aprendido a se comunicar com o Espírito de um homem que dizia ter sido enterrado no porão da casa. Repetidas escavações, buscando localizar o corpo e, assim, dar prova positiva de suas narrativas, fracassaram. A descoberta foi feita por crianças da escola, brincando no porão do edifício conhecido como A casa assombrada, *em Hydesville, onde as irmãs Fox ouviram as batidas. William Hyde, conceituado cidadão de Clyde, proprietário da casa, procedeu à investigação, encontrando, entre a terra e os escombros das paredes do porão, um esqueleto humano quase completo. Era indubitavelmente o do mascate andarilho, que, como se afirmou, havia sido assassinado no aposento leste da casa, e cujo corpo fora escondido no porão. O senhor Hyde avisou aos parentes das irmãs Fox, e a notícia da descoberta fora enviada à Ordem Nacional dos Espiritualistas. Muitos de seus membros recordam-se de terem feito peregrinações à casa mal-assombrada. A descoberta dos ossos é a confirmação prática da declaração, sob juramento, de Margaret Fox, feita em 11 de Abril de 1848.* [H.E., 2013]

Pouco tempo depois das comunicações recebidas na casa, as garotas foram afastadas. Margaret foi morar com o irmão, David, e Kate, com a irmã Leah, imaginando-se que, separadas, elas não mais protagonizariam fenômenos. Porém, os sons se repetiram nas casas de David e de Leah, sendo que a segunda passou também a manifestar fenômenos mediúnicos.

Pelos anos seguintes, as irmãs viajaram pelo Oeste americano e por Nova York, realizando sessões de fenômenos físicos em que não se produziam somente sons de batidas, mas nas quais havia também aparição de luzes, manifestação de diferentes formas materializadas e escrita direta sobre objetos, entre outros. Suas apresentações despertavam a curiosidade de milhares de pessoas, tanto entusiastas como críticos, que tentavam a todo momento desmascará-las, sem, no entanto, obterem sucesso, dado que todos os testes para comprovação de fraude falharam.

Porém, a atenção colocada sobre as irmãs desde sua infância teve consequências sobre a vida pessoal, que foi muito atribulada e marcada por escândalos, incluindo desentendimentos entre as irmãs mais novas e a mais velha, que as acusou de alcoolismo e, assim, fez com que Kate perdesse a guarda dos filhos.

Em resposta, as irmãs acusaram a mais velha de manipular os fenômenos espirituais. Não bastasse isso, ainda aceitaram 1500 dólares de um jornalista para confessar que inventaram os fenômenos.

Um ano após a confissão, as irmãs voltaram atrás em entrevista ao *The New York Herald*, dizendo que mentiram sobre a irmã mais velha e sobre a pretensa fraude nos fenômenos porque receberam em troca a soma em dinheiro, que as ajudou em um momento de grande necessidade financeira.

Mesmo com esse e outros escândalos de que foram protagonistas, o legado deixado pelo trabalho das irmãs Fox marcaria para sempre a história dos fenômenos espirituais, e elas representariam o ponto de partida para milhares de fenômenos físicos que se desencadearam pelos Estados Unidos e se estenderiam por toda a Europa, onde encontraram um especial observador que daria a eles uma nova e profunda significação.

As mesas girantes

Todo efeito tem uma causa; todo efeito inteligente tem uma causa inteligente; a potência de uma causa está na razão da grandeza do efeito.

Allan Kardec

Em meados do século XIX, era moda na Europa e, em especial, na França uma "brincadeira" que havia surgido nos Estados Unidos há alguns anos. Em grandes salões, nobres e intelectuais se reuniam em volta de mesas e assistiam ao seu movimento sem que nenhuma força motora fosse feita, o que causava espanto e, ao mesmo tempo, grande entretenimento para as plateias – cada vez maiores nesses cada vez mais frequentes eventos sociais.

Nessas sessões, que duravam horas, os participantes formavam uma corrente pelo contato dos dedos e faziam perguntas das mais diversas, quase sempre bastante fúteis, e as mesas respondiam com batidas e movimentos, similarmente às pancadas escutadas pelas irmãs Fox em Hydesville, pouco tempo antes.

Não demora muito para essa novidade chegar ao conhecimento do curioso professor lionês. Ele ouve falar mais detalhadamente das mesas girantes em 1854, durante uma conversa com o senhor Fortier, em uma das sessões de estudo sobre Magnetismo que frequentava há anos em companhia do amigo. Este assim se exprimiu sobre o fenômeno:

> *Eis aqui uma coisa que é bem mais extraordinária: não somente se faz girar uma mesa, magnetizando-a, mas também se pode fazê-la falar. Interroga-se, e ela responde.* [*O.P.*, 1890]

Ao ouvir essas palavras, o professor Rivail fica ainda mais curioso, pois supõe que seja simplesmente a consequência da ação do fluido magnético, um tipo de eletricidade que fazia os corpos inertes se movimentarem. Mas daí a responder perguntas de maneira inteligente seria um longo caminho, ele pensa.

Isso é outra questão; eu acreditarei quando vir e quando me tiverem provado que uma mesa tem cérebro para pensar, nervos para sentir, e que se pode tornar sonâmbula. Até lá, permita-me que não veja nisso senão uma fábula para provocar o sono. [*O.P.*, 1890]

Este era e sempre foi o seu estado de espírito. Queria ver para crer, nada negava, mas também não acreditava sem que lhe fossem apresentadas provas cabais. Convidado pelo amigo, o educador começa a assistir a sessões de mesas girantes e, logo no início, se surpreende sobremaneira com o que estava acontecendo. Sua visão de pesquisador e cientista adepto da corrente da fenomenologia o fez deixar de lado o efeito produzido, que era a movimentação das mesas, para se concentrar na causa daquilo, partindo da premissa de que era um efeito coordenado, um efeito que demandava inteligência de quem o gerava e que todo efeito inteligente tem necessariamente uma causa. Assim, ele decide focar suas pesquisas na causa do efeito.

Porém, essas observâncias o fazem encontrar algo que nem remotamente poderia imaginar. Nessa época de sua vida, de 1854 a 1856, um novo horizonte se apresenta, e o nome Hippolyte Léon Denizard Rivail sai de cena para ceder lugar ao de Allan Kardec, cuja fama chegou aos quatro cantos do mundo. Ele revelou da seguinte maneira suas impressões:

> *Eu me encontrava, pois, no ciclo de um fato inexplicado, contrário, na aparência, às leis da Natureza e que minha razão repelia. Nada tinha ainda visto nem observado; as experiências feitas em presença de pessoas honradas e dignas de fé me firmavam na possibilidade do efeito puramente material; mas a ideia de uma mesa falante não me entrava ainda no cérebro [...] Foi aí, pela primeira vez, que testemunhei o fenômeno das mesas girantes que saltavam e corriam, e isso em condições tais que a dúvida não era possível. Aí vi também alguns ensaios muito imperfeitos de escrita mediúnica com o auxílio de uma cesta. Minhas ideias estavam longe de se haver modificado, mas naquilo havia um fato que devia ter uma causa. Entrevi, sob essas aparentes futilidades e espécie de divertimento, que ali se fazia alguma coisa séria e que estava presenciando a revelação de uma nova Lei, em que me prometi aprofundar. A ocasião se me ofereceu, e pude observar mais atentamente do que tinha podido fazer. Em um dos serões da senhora*

Plainemaison, fiz conhecimento com a família Baudin, que se ofereceu para me permitir assistir às sessões que se efetuavam em sua casa, e às quais eu fui, desde esse momento, muito assíduo. Foi aí que fiz os meus primeiros estudos sérios sobre o Espiritismo, menos ainda por efeito de revelações que por observação. Apliquei a essa nova ciência, como até então o tinha feito, o método da experimentação; nunca formulei teorias preconcebidas, observava atentamente, comparava, deduzia as consequências; dos efeitos procurava remontar às causas pela dedução, pelo encadeamento lógico dos fatos, não admitindo como válida uma explicação, senão quando ela podia resolver todas as dificuldades da questão. [*H.E.*, 2013]

Assim, Rivail foi um dos primeiros pesquisadores a estudar em detalhes os fenômenos ditos sobrenaturais batizados de "mesas girantes". O resultado dessa pesquisa levou-o ao conhecimento de algo que jamais poderia supor, algo totalmente diferente do que sua visão de cientista esperava encontrar.

Em pouco tempo, ele nota como se dá a atuação dos espíritos e dos médiuns naquele fenômeno, e começa a desenvolver um trabalho metódico envolvendo a recepção de comunicações por diversos médiuns em diferentes locais. Assim, pôde testemunhar que o método de comunicação ia se aperfeiçoando, passando das batidas iniciais para uma bola suspensa por um fio, depois para uma cesta com um lápis na ponta que se move rudimentarmente entre letras e números espalhados pela mesa, até chegar aos métodos atuais com modalidades como psicografia, em que o médium reproduz a comunicação segurando e movendo um lápis sobre uma folha, ou psicofonia, em que o médium usa a fala para transmitir o que o espírito lhe intui.

Com isso, estava pavimentado o caminho para o surgimento do Espiritismo.

Surge Allan Kardec

É melhor repelir dez verdades do que admitir uma única falsidade, uma só teoria errônea.

Allan Kardec

Após suas observações iniciais quanto às mesas girantes, Rivail não para mais de frequentar as sessões, sempre imbuído da vontade de estudar o fenômeno, primeiramente na casa da senhora Plainemaison, localizada à rua Grange-Batelière, 18, que conta com a participação de diversos médiuns, e depois na casa do senhor Baudin, localizada à rua Lamartine, já no ano 1856. Nessas sessões, ele tem oportunidade de ouvir relatos dos mais diferentes tipos de espíritos por intermédio de Caroline Baudin, filha do dono da casa e grande médium que, após um período usando a cesta para se comunicar, começa a usar a comunicação direta como meio de transmitir a mensagem dos espíritos.

Nesse mesmo ano, Rivail também passa a frequentar as sessões realizadas na casa do senhor Roustan. Nessas sessões, ele faz diversas anotações e as revisa, pois já prepara a publicação do seu primeiro livro sobre o assunto.

Na casa do senhor Roustan, em 30 de abril de 1856, por intermédio de uma mensagem transmitida pela médium Japhet, ele tem o primeiro contato com sua missão, em uma sessão a que somente sete ou oito pessoas estavam presentes. Discutiam-se temas relativos a acontecimentos que podiam acarretar uma grande transformação social, e então a médium escreveu uma mensagem que chamou demais a atenção do professor.

Quando o bordão soar, abandoná-los-ei; apenas aliviareis o vosso semelhante; individualmente o magnetizareis, a fim de curá-lo. Depois, cada um no posto que lhe foi preparado, porque de tudo se fará mister, pois que tudo será destruído, ao menos temporariamente. Deixará de haver religião e uma se fará necessária, mas verdadeira, grande, bela e digna do Criador... Seus primeiros alicerces já foram colocados... Quanto a ti, Rivail, a tua missão é aí. A ti, M..., a espada que não fere, porém mata; contra tudo o que é, serás tu o primeiro a vir. Ele, Rivail, virá em segundo lugar: é o obreiro que reconstrói o que foi demolido. [*O.P.*, 1890]

Segundo relato publicado em *Obras póstumas*, o senhor M., citado na mensagem, era um moço de opiniões radicais, envolvido na política. Acreditando que se tratava de uma próxima subversão, apressou-se a tomar parte nela. Rivail, por sua vez, foi tomado de grande emoção ao receber essa mensagem e começou a perceber que seu papel seria muito maior do que o de um simples redator das observações feitas durante os trabalhos.

Os dias seguintes foram de certa angústia e tensão para o professor, que não se julgava preparado para a missão. Por vezes, pensou que deveria desistir em prol de outro mais capacitado. Por outro lado, também se sentia inseguro quanto àquilo a que, exatamente, os espíritos se referiam na mensagem anterior. Chegado o dia da nova reunião na casa do senhor Roustan, uma semana após a primeira mensagem, ele se põe a pedir mais detalhes sobre o que fora dito. Esse diálogo com o espírito que ali estava foi posteriormente publicado em *Obras póstumas* e dizia:

Rivail — Outro dia, disseram-me os espíritos que eu tinha uma importante missão a cumprir e me indicaram o seu objeto. Desejaria saber se confirmas isso.

Espírito — Sim e, se observares as tuas aspirações e tendências e o objeto quase constante das tuas meditações, não te surpreenderás com o que te foi dito. Tens que cumprir aquilo com que sonhas desde longo tempo. É preciso que nisso trabalhes ativamente, para estares pronto, pois mais próximo do que pensas vem o dia.

R. — Para desempenhar essa missão, tal como a concebo, são necessários meios de execução que ainda não se acham ao meu alcance.

E. — Deixa que a Providência faça a sua obra e serás satisfeito.

R. — A comunicação há dias dada faz presumir, ao que parece, acontecimentos muito graves. Poderás dar-nos algumas explicações a respeito?

E. — Não podemos precisar os fatos. O que podemos dizer é que haverá muitas ruínas e desolações, pois são chegados os tempos preditos de uma renovação da humanidade.

R. — Quem causará essas ruínas? Será um cataclismo?

E. — Nenhum cataclismo de ordem material haverá, como o entendeis, mas flagelos de toda espécie assolarão as nações; a guerra dizimará os povos; as instituições antigas se abismarão em ondas de sangue. Faz-se mister que o velho mundo se abata, para que uma nova era se abra ao progresso.

R. — A guerra não se circunscreverá então a uma região?

E. — Não, abrangerá a Terra.

R. — Nada, entretanto, neste momento, parece pressagiar uma tempestade próxima.

E. — As coisas estão por fio de teia de aranha, meio partido.

R. — Poder-se-á, sem indiscrição, perguntar de onde partirá a primeira centelha?

E. — Da Itália. [O.P., 1890]

Rivail ainda tinha dúvidas sobre a mensagem inicial. Desde o início, sua grande preocupação não era identificar se a mensagem viera dos espíritos, mas sim que tipo de espírito teria trazido aquela mensagem. Os espíritos mais elevados, aqueles que só fazem o bem e adquiriram certo grau de conhecimento, são dignos de que se acredite em suas mensagens, mas há espíritos menos evoluídos que podem dar comunicação para zombar de alguém ou mesmo tentar prejudicá-lo. Desde cedo, Rivail seguiu a máxima de que não basta um espírito usar um nome honorável no planeta para que seja digno de atenção; seu grau de elevação somente poderá ser averiguado pelo teor da mensagem que traz. Analisando a primeira mensagem, Rivail tinha dúvidas sobre a citação de M. e resolveu travar nova conversação, em 12 de maio de 1856, com o Espírito da Verdade, seu guia na missão, para que este esclarecesse essa questão.

Rivail — Que pensas de M...? É homem que venha a influir nos acontecimentos?

Espírito — Muito ruído. Ele tem boas ideias. É homem de ação, mas não é uma cabeça.

R. — Dever-se-á tomar ao pé da letra o que foi dito, isto é, que lhe cabe o papel de destruir o que existe?

E. — Não. Pretendeu-se apenas personificar nele o partido cujas ideias ele representa.

R. — Posso manter com ele relações de amizade?

E. — Por enquanto, não. Correria perigos inúteis.

R. — Dispondo de um médium, diz M... que lhe determinaram a marcha dos acontecimentos, para, por assim dizer, uma data fixa. Será verdade?

E. — Sim, determinaram-lhe épocas, mas foram espíritos levianos que lhe responderam, espíritos que não sabem mais do que ele e que lhe exploram a exaltação. Não devemos precisar as coisas futuras. Os acontecimentos pressentidos certamente se darão em tempo próximo, mas que não pode ser determinado.

R. — Disseram os espíritos que os tempos são chegados em que tais coisas têm de acontecer, em que sentido se devem tomar essas palavras?

E. — Em se tratando de coisas de tanta gravidade, que são alguns anos a mais ou a menos? Elas nunca ocorrem bruscamente, como o faiscar de um raio; são longamente preparadas por acontecimentos parciais que servem como precursores, quais os rumores surdos que precedem a erupção de um vulcão. Pode-se, pois, dizer que os tempos são chegados, sem que isso signifique que as coisas sucederão amanhã. Significa unicamente que vos achais no período em que se verificarão.

R. — Confirmas o que foi dito, isto é, que não haverá cataclismos?

E. — Sem dúvida, não tendes que temer nem um dilúvio, nem o abrasamento do vosso planeta, nem outros fatos desse gênero, porquanto não se pode denominar cataclismos a

> *perturbações locais que se têm produzido em todas as épocas. Apenas haverá um cataclismo de natureza moral, de que os homens serão os instrumentos.* [O.P., 1890]

Exatamente um mês após esse episódio, ele retorna ao assunto com o Espírito da Verdade e pergunta-lhe o que pensa, como espírito evoluído, das mensagens de outros espíritos falando sobre a missão que ele deve seguir. Nessa comunicação, ele também revelou hesitação e insegurança.

> *Tenho, como sabes, o maior desejo de contribuir para a propagação da verdade, mas, do papel de simples trabalhador ao de missionário em chefe, a distância é grande e não percebo o que possa justificar em mim tal graça, de preferência a tantos outros que possuem talento e qualidades de que não disponho.* [O.P., 1890]

O Espírito da Verdade confirma o que foi dito e faz duas recomendações. A primeira delas, que fosse discreto, se quisesse se sair bem. A segunda, que não se esquecesse de que poderia triunfar na missão, mas também poderia falhar, e, se isso acontecesse, outro o substituiria, pois o cumprimento dos desígnios divinos não estão nas mãos de uma única pessoa.

Ao ouvir essas palavras, o professor Rivail pede a assistência do Espírito da Verdade e dos bons espíritos para que o amparem, dizendo que nunca teria a intenção de se vangloriar da tarefa e que está disposto a servir aos desígnios da Providência. O Espírito da Verdade confirma que não faltará assistência, ressaltando que Rivail terá que fazer o necessário para cumprir a missão, mas tem o livre-arbítrio e não é obrigado a nada, podendo desistir do que fora a ele confiado caso assim desejasse. Buscando mais esclarecimentos, Rivail pergunta sobre as causas que poderiam determinar seu fracasso, e se este poderia ser determinado por sua falta de capacidade. O Espírito da Verdade faz outra advertência, mais firme ainda, enfatizando a dificuldade de sua missão e dando uma verdadeira aula ao professor Rivail.

> — *Não, mas a missão dos reformadores é cheia de obstáculos e perigos. Previno-te de que é difícil a tua, porquanto se trata de abalar e transformar o mundo inteiro. Não suponha que baste publicar um livro, dois livros, dez livros, para em seguida ficar tranquilamente em casa. Tens que expor a tua pessoa. Suscitará contra ti ódios terríveis; inimigos encarniçados se conjurarão para tua perda; receberás maledicência, calúnia,*

e traição, mesmo dos que te parecerão os mais dedicados; as tuas melhores instruções serão desprezadas e falseadas; por mais de uma vez sucumbirás sob o peso da fadiga; numa palavra: terás de sustentar uma luta quase contínua, com sacrifício de teu repouso, da tua tranquilidade, da tua saúde e até da tua vida, pois, sem isso, viverias muito mais tempo. Não poucos recuam quando, em vez de uma estrada florida, só veem pedras agudas e serpentes. Para tais missões não basta a inteligência. Faz-se necessário, primeiramente, para agradar a Deus, humildade, modéstia e desinteresse, visto que Ele abate os orgulhosos, os presunçosos e os ambiciosos. Para lutar contra os homens são indispensáveis coragem, perseverança e inabalável firmeza. Também são necessários prudência e tato para conduzir as coisas de modo conveniente e não comprometer o êxito com palavras ou medidas intempestivas. Exige-se, por fim, devotamento, abnegação e disposição a todos os sacrifícios. Assim a tua missão está subordinada a condições que dependem de ti. [O.P., 1890]

Rivail sai de cena para Allan Kardec ascender

Fé inabalável só é a que pode encarar frente a frente a razão, em todas as épocas da humanidade.

Allan Kardec

18 de abril de 1857. Essa data é considerada o ponto de partida para o uso do termo Espiritismo e, para os espíritas, a data oficial de fundação da doutrina, pois exatamente nesse dia chega ao mercado editorial francês *Le livre des esprits*, ou *O livro dos espíritos*, obra que nas 176 páginas da sua primeira edição traz 501 perguntas e respostas, divididas em três partes: "Doutrina Espírita", "Leis Morais" e "Esperanças e Consolações".

Porém, se já não bastasse o título, naquela época já extremamente polêmico ao indicar revelações sobre o mundo espiritual, outra coisa intriga a todos: o nome do autor.

Até aquele momento, em Paris, não existia ninguém que conhecesse um autor chamado Allan Kardec. O mistério, porém, não durou muito, e logo se descobriu que aquele que agora atendia pelo pseudônimo de Allan Kardec antes assinara suas obras como H. L. D. Rivail.

Algum tempo antes da publicação d'*O livro dos espíritos*, o professor Rivail recebeu de seu espírito protetor Z. uma comunicação. O espírito disse, entre outras coisas, que o havia conhecido em uma existência precedente, mais exatamente no tempo dos druidas (tidos por muitos como magos e bruxos, os druidas pertenciam à antiga sociedade celta e viviam juntos nas Gálias, região da Europa ocidental que hoje compreende parte dos territórios da França, Reino Unido, Espanha e Portugal). Na época, ele se chamava Allan Kardec, e, como a amizade entre os dois era muito grande, o espírito prometeu ajudá-lo na sua difícil tarefa.

Segundo relato de Henri Sausse na biografia que escreveu, no momento de publicar *O livro dos espíritos*, sua primeira obra sobre Espiritismo, o autor ficou em dúvida sobre como o assinaria: com seu nome de batismo ou com um pseudônimo. Seu nome era muito conhecido no mundo literário, em virtude de suas publicações anteriores, o que poderia originar alguma confusão e talvez até mesmo prejudicar o êxito do empreendimento. Então, ele optou por assinar como Allan Kardec, que, segundo lhe revelara o guia, fora seu nome no tempo dos druidas.

Assim, com a publicação de *O livro dos espíritos*, o nome do professor Rivail saía de cena para dar lugar ao mundialmente conhecido Allan Kardec.

Para escrever *O livro dos espíritos*, Allan Kardec foi assistido por diversos médiuns, que receberam espíritos do mais alto grau de evolução que, juntos, trouxeram as revelações tão aguardadas sobre a vida no mundo espiritual.

Kardec ia fazendo as anotações, suprimindo as repetições, separando as questões por ordem de assunto e adicionando observações e pontos que precisariam ser esclarecidos de maneira mais aguda.

No início, evidentemente, o professor não tinha a intenção de fazer uma obra tão completa quanto *O livro dos espíritos* e suas anotações não tinham ainda uma finalidade clara, abrangendo assuntos filosóficos e sobre o mundo invisível que interessavam a ele. Porém, pouco a pouco, e especialmente após a comunicação do espírito Z. sobre sua encarnação como Allan Kardec, o trabalho ganhou volume e ele passou a enxergar que suas anotações formavam um conjunto que poderia resultar em uma doutrina.

Assim, ele se atirou ao trabalho, descrevendo-o da seguinte maneira:

> *Tendo-me as circunstâncias posto em relação com outros médiuns, toda vez que se oferecia ocasião, eu a aproveitava para propor algumas das questões que me pareciam mais melindrosas. Foi assim que mais de dez médiuns prestaram o seu concurso a esse trabalho. E foi da comparação e da fusão de todas essas respostas, coordenadas, classificadas e muitas vezes refeitas no silêncio da meditação, que formei a primeira edição de* O livro dos espíritos, *a qual apareceu em 18 de abril de 1857.* [*O.P.*, 1890]

O sucesso da obra, que em pouco tempo estava esgotada, surpreendeu a todos e em especial a Kardec, que concluiu uma segunda edição ampliada e revisada em março de 1860, agora já composta de impressionantes 1019 perguntas, mais do que o dobro da primeira. À nova edição, agora dividida em quatro partes, foram ainda acrescidas notas informativas, e ela se esgotou novamente apenas quatro meses depois do lançamento.

Kardec afirmou na época que o trabalho de revisão não foi feito somente por ele, pois os espíritos tiveram papel preponderante. Veja-se o episódio ocorrido em 25 de março de 1856, na sua casa à rua dos Mártires, 8. Acompanhado de sua esposa, Amélie, Kardec ouviu pancadas na madeira do seu escritório enquanto redigia a segunda edição de *O livro dos espíritos*.

No dia seguinte, na casa do senhor Baudin, ele solicitou explicações aos espíritos sobre o fenômeno:

Kardec – Ouvistes o fato que acabo de narrar; podereis dizer-me a causa dessas pancadas que se fizeram ouvir com tanta insistência?
Espírito – Era o teu Espírito familiar.
K. – Com que fim, vinha ele bater assim?
E. – Queria comunicar-se contigo.
K. – Podereis dizer-me o que queria ele?
E. – Podes perguntar a ele mesmo, porque está aqui.
K. – Meu Espírito familiar, quem quer que sejais, agradeço-vos terdes vindo visitar-me. Quereis ter a bondade de dizer-me quem sois?
E. – Para ti chamar-me-ei a Verdade, e todos os meses, durante um quarto de hora, estarei aqui, à tua disposição.

K. – Ontem, quando batestes, enquanto eu trabalhava, tínheis alguma coisa de particular a dizer-me?

E. – O que eu tinha a dizer-te era sobre o trabalho que fazias; o que escrevias desagradava-me e eu queria fazer-te parar.

K. – A vossa desaprovação versava sobre o capítulo que eu escrevia, ou sobre o conjunto do trabalho?

E. – Sobre o capítulo de ontem: faço-te juiz dele. Torna a lê-lo esta noite e irá reconhecer os erros e os corrigirás.

K. – Eu mesmo não estava muito satisfeito com esse capítulo e o refiz hoje. Está melhor?

E. – Está melhor, mas não muito bom. Lê da terceira à trigésima linha e reconhecerás um grave erro.

K. – Rasguei o que tinha feito ontem.

E. – Não importa. Essa inutilização não impede que subsista o erro. Relê e verás.

K. – O nome de Verdade que tomais é uma alusão à verdade que procuro?

E. – Talvez, ou, pelo menos, é um guia que te há de auxiliar e proteger.

K. – Posso evocar-vos em minha casa?

E. – Sim, para que te assista pelo pensamento; mas, quanto a respostas escritas em tua casa, não será tão cedo que as poderás obter.

K. – Podeis vir mais frequentemente que todos os meses?

E. – Sim, mas não prometo senão uma vez por mês, até nova ordem.

K. – Animaste alguma personagem conhecida na Terra?

E. – Disse-te que para ti eu era a Verdade, o que da tua parte devia importar discrição. Não saberás mais que isto. [*O.P.*, 1890]

De volta a casa, Allan Kardec apressou-se a reler o que escrevera e pôde verificar o grave erro que havia cometido, tendo-o corrigido imediatamente.

A partir da publicação d'*O livro dos espíritos*, em 18 de abril de 1857, que traz os ensinamentos do Espiritismo alicerçados no tripé filosofia, religião e ciência, Kardec se colocou a escrever diversas outras obras que, juntas, se transformariam no pentateuco do Espiritismo. São consideradas até hoje as obras básicas e fundamentais para todos que desejam estudar e compreender o Espiritismo.

Em janeiro de 1861, chegava às livrarias francesas *O livro dos médiuns*, um manual para todos que desejam conhecer a ação do mundo invisível sobre os encarnados e desenvolver a mediunidade. Baseando-se em fundamentos teóricos e exemplos práticos, o livro é até hoje o principal guia sobre os diferentes tipos de mediunidade e de manifestações físicas e para se identificar qual o grau de evolução dos espíritos que entram em contato, além de ensinar a identificar e a se proteger de processos obsessivos.

Três anos depois, mais precisamente em abril de 1864, seria lançado *O evangelho segundo o espiritismo* - que, originalmente, saiu com o título *Imitação do evangelho segundo o espiritismo, com a explicação das máximas morais do Cristo, sua aplicação e sua concordância com o espiritismo*, depois modificado –, com foco nos ensinamentos deixados por Jesus Cristo interpretados sob a visão do Espiritismo. Seu objetivo era esmiuçar os ensinamentos que Jesus expressara por meio de parábolas em sua época, e constituem a base moral do Espiritismo alicerçada nos evangelhos deixados pelos apóstolos.

Em agosto de 1865, Kardec lança a obra *O céu e o inferno*, dividida em duas partes. Uma delas aborda a vida após a morte segundo diferentes visões religiosas, explicando detalhadamente o que seriam o céu, o inferno, os anjos, os demônios, o purgatório, as penas eternas, entre outros. Na segunda parte são reunidos depoimentos de espíritos desencarnados que revelam o que encontraram do Outro Lado, de acordo com o grau de evolução que possuíam enquanto encarnados no planeta.

O quinto livro que compõe as obras básicas da doutrina espírita é *A gênese*, lançado em janeiro de 1868. Estruturado em partes, como as demais obras de Kardec, *A gênese* traz esclarecimentos sobre temas de interesse universal, como a origem do planeta Terra, os milagres e predições do evangelho, os tempos futuros e as transformações pelas quais os encarnados e o próprio planeta vão passar.

Com o lançamento dessas cinco obras, Kardec concluiu a apresentação sistemática da doutrina espírita. Escreveu ainda mais dois volumes: *O que é espiritismo*, publicado em 1859, um livreto de introdução aos princípios básicos do Espiritismo, com um grande resumo do que fora desenvolvido mais detalhadamente em *O livro dos espíritos* e em *O livro dos médiuns*; e *Obras póstumas*, publicado somente em janeiro de 1890, muitos anos após o desencarne de Kardec, livro que traz, além de uma biografia do Codificador, diversos textos deixados por ele que versam sobre os mais variados assuntos doutrinários e sobre os fundamentos do Espiritismo.

A MISSÃO DE PROPAGAR O NOVO CONHECIMENTO

RECONHECE-SE O VERDADEIRO ESPÍRITA PELA SUA TRANSFORMAÇÃO MORAL E PELOS ESFORÇOS PARA SUPERAR SUAS MÁS TENDÊNCIAS.

ALLAN KARDEC

O livro dos espíritos coloca Allan Kardec definitivamente em evidência. Todos que o liam se interessavam imediatamente em conhecer melhor a figura do seu autor e, em especial, em lhe fazer perguntas sobre alguns pontos da obra, buscando esclarecimentos adicionais.

Com a repentina fama, Kardec passou a receber inúmeras cartas com questões de leitores e muitas visitas, notadamente de pessoas que chegavam para conversar com ele sobre os ensinamentos dos espíritos.

Do mesmo modo, como tudo tem dois lados, passou a sofrer intensa perseguição daqueles que viam em sua primeira obra um ultraje à crença disseminada pela igreja até então. Nessa época, embora a religião não tivesse na França a mesma força que desfrutara na Idade Média, os pensamentos religiosos ainda exerciam muita influência, e não tardou para os religiosos verem em Kardec um herege.

O Codificador do Espiritismo viu nesse cenário a necessidade de abrir um canal de comunicação direta, capaz de atingir o maior número de pessoas possível, tanto para divulgar a nova doutrina como para se defender daqueles que buscavam desacreditar o novo conhecimento trazido.

Nessa época, já existia um periódico na cidade suíça de Genebra, o *Journal de l'Âme*, que se dedicava à divulgação do Espiritismo, mas Kardec acreditava que ainda era pouco e muito tinha a ser feito pela divulgação da nova doutrina no continente europeu. Para efeitos de comparação, os Estados Unidos já contavam, então, com dezessete jornais sobre o assunto em inglês e até um editado em francês.

Desse modo, mesmo atuando em dois empregos, que lhe traziam o sustento para a casa e já iniciando a redação de outros títulos sobre a doutrina espírita, Kardec buscou tempo para o novo empreendimento: a criação de um periódico espírita. No entanto, não somente tempo seria necessário, mas também uma soma considerável de recursos para se imprimir pelo menos a primeira edição.

Para solucionar o segundo problema, Kardec, primeiramente, procurou o senhor Tiedeman-Marthèse, que se mostrou indeciso quanto a colocar seu dinheiro na empreitada, temeroso de sofrer prejuízo econômico. Nessa situação de impasse, Kardec consultou os espíritos sobre qual caminho deveria seguir. Estes, por sua vez, o aconselharam a perseverar no propósito e a redobrar o cuidado na primeira edição, que teria de conter conteúdo sério, de qualidade e, ao mesmo tempo, agradável, de modo a se garantir o êxito das edições seguintes.

Esses conselhos lhe deram força para encampar a empreitada, deixando de lado a procura por um investidor e usando os próprios recursos para produzir e imprimir a primeira edição.

Surgia, então, em 1 de janeiro de 1858, a *Revue Spirite*, ou *Revista Espírita*, sem nenhum assinante e contando com 36 páginas em sua primeira edição. A situação de falta de assinantes perduraria pouquíssimo tempo, todavia, e a *Revista Espírita* logo se revelou um sucesso econômico, conseguindo uma boa base de assinaturas e sendo editada por onze anos consecutivos, persistindo mesmo após o desencarne de Allan Kardec, em 1865.

Nesta reprodução da introdução à primeira edição da *Revista Espírita*, temos um panorama dos objetivos da empreitada, das crenças de Kardec e do desenvolvimento do Espiritismo naquela época, segundo as próprias palavras do Codificador:

> *A rapidez com a qual se propagaram em todas as partes do mundo os fenômenos estranhos das manifestações espíritas é uma prova do interesse que causam. Simples objetos de curiosidade, a princípio, não tardaram em despertar a atenção dos homens sérios que entreviram, desde o início, a influência inevitável que devem ter sobre o estado moral da sociedade. As ideias novas que deles surgem se popularizam cada dia mais, e nada poderia deter-lhes o progresso, pela razão muito simples de que esses fenômenos estão ao alcance de todo mundo, ou quase todo, e que nenhuma força humana pode impedi-los de se produzirem. Se os abafam em algum ponto, eles reaparecem em cem outros. Aqueles, pois, que poderiam ver neles um inconveniente qualquer serão constrangidos pela força das coisas a sofrer-lhes as*

consequências como ocorreu com as indústrias novas que, na sua origem, feriram interesses privados, e com as quais todo o mundo acabou por se ajeitar, porque não se poderia fazer de outro modo. O que não se fez e disse contra o Magnetismo! E, todavia, todos os raios que se lançaram contra ele, todas as armas com as quais o atingiram, mesmo o ridículo, se enfraqueceram diante da realidade, e não serviram senão para colocá-lo mais em evidência. É que o Magnetismo é uma força natural, e que, diante das forças da Natureza, o homem é um pigmeu semelhante a esses cãezinhos que ladram inutilmente contra o que os assusta. Há manifestações espíritas como a do sonambulismo; se elas não se produzem à luz do dia, publicamente, ninguém pode se opor a que tenham lugar na intimidade, uma vez que cada família pode achar um médium entre seus membros, desde a criança até o velho, como pode achar um sonâmbulo. Quem, pois, poderia impedir, a qualquer pessoa, de ser médium ou sonâmbula? Aqueles que combatem a coisa, sem dúvida, não refletiram nela. Ainda uma vez, quando uma força é da Natureza, pode-se detê-la um instante, mas aniquilá-la jamais! Não se faz mais do que desviar-lhe o curso. Ora, a força que se revela no fenômeno das manifestações, qualquer que seja a sua causa, está na Natureza; como a do Magnetismo, não será aniquilada, pois, como não se pode aniquilar a força elétrica. O que é preciso fazer é observá-la e estudar-lhe todas as fases, para delas deduzir as leis que a regem. Se for um erro, uma ilusão, o tempo lhe fará justiça. Se for a verdade, ela será como o vapor: quanto mais se comprime, maior é a força de expansão. Espanta-se, com razão, que, enquanto na América só os Estados Unidos possuem dezessete jornais consagrados a essas matérias, sem contar uma multidão de escritos não periódicos, a França, o país da Europa onde essas ideias foram mais prontamente aclimatadas, não possua um único. Não se poderia, pois, contestar a utilidade de um órgão especial, que mantenha o público ao corrente dos progressos desta ciência nova, e o premuna dos exageros da credulidade, tão bem quanto contra o ceticismo. É essa lacuna que nos propomos preencher com a publicação desta revista, com o fim de oferecer um meio de comunicação a todos aqueles que se interessam por estas questões, e de ligar, por um laço comum, aqueles que compreendem a Doutrina Espírita sob o seu verdadeiro ponto de vista moral: a prática do bem e da caridade evangélica com relação a todo o mundo. Se não se tratasse senão de uma coleta de fatos, a tarefa seria fácil; eles se multiplicam, sobre todos os pontos, com uma tal rapidez, que a matéria não faltaria; mas os fatos unicamente tornar-se-iam monótonos, pela sequência mesma do seu número e, sobretudo, pela sua semelhança. O que é preciso, ao homem que reflete, é alguma coisa que fale à sua inteligência. Poucos anos decorreram desde a aparição dos primeiros fenômenos, e já estamos longe das mesas girantes e falantes que não foram senão a infância. Hoje, é uma ciência que descobre todo um mundo de mistérios, que torna patente verdades eternas, que não foram dadas senão ao nosso espírito de pressentir; é uma doutrina sublime que mostra ao homem o caminho do dever, e que abre o campo, o mais vasto, que ainda fora dado à observação do filósofo. Nossa obra seria, pois, incompleta e estéril se permanecesse nos estreitos limites de uma revista anedótica, cujo interesse seria bem rapidamente esgotado. Talvez nos contestem a qualificação de ciência que damos ao Espiritismo. Ele não poderia, sem dúvida, em alguns casos, ter os caracteres de uma ciência exata, e está precisamente aí o erro daqueles que pretendem julgá-lo e experimentá-lo como uma análise química, como um problema matemático: já é muito que tenha o de uma ciência filosófica. Toda ciência deve estar baseada sobre fatos; mas só os fatos não constituem a ciência; a ciência nasce da coordenação e da dedução lógica dos fatos: é o conjunto de leis que os regem. O Espiritismo chegou ao estado de ciência? Se se trata de uma ciência perfeita, sem dúvida, seria prematuro responder afirmativamente; mas as observações são, desde hoje, bastante numerosas para se poder, pelo menos, deduzir os princípios gerais, e é aí que começa a ciência. A apreciação razoável dos fatos, e das consequências que deles decorrem, é, pois, um complemento sem o qual a nossa publicação seria de uma medíocre utilidade, e não ofereceria senão um interesse muito secundário para quem reflita, e queira se inteirar daquilo que vê. Todavia, como o nosso objetivo é chegar à verdade, acolheremos todas as observações que nos forem endereçadas, e tentaremos, quanto permita o estado dos conhecimentos adquiridos, levantar as dúvidas e esclarecer os pontos ainda obscuros. Nossa revista será uma tribuna aberta, mas onde a discussão não deverá jamais desviar-se das leis. Discutiremos, mas não disputaremos. As inconveniências de linguagem jamais tiveram boas razões aos olhos de pessoas sensatas; é a arma daqueles que não a têm melhor, e essa arma reverte contra quem dela se serve. Se bem que os fenômenos, dos quais iremos nos ocupar, se tenham produzido nestes últimos tempos de modo mais geral, tudo prova que ocorreram desde os tempos mais antigos. Não se trata de fenômenos naturais nas invenções que seguem o progresso do espírito humano; desde que estão na ordem das coisas, sua causa é tão velha quanto o mundo e os efeitos devem ter se produzido em todas as épocas. O que, pois, testemunhamos hoje não é uma descoberta moderna, é o despertar da antiguidade, mas da antiguidade liberta da companhia mística que engendrou as superstições, da antiguidade esclarecida pela civilização, e o progresso nas coisas positivas. A consequência capital, que ressalta desses fenômenos, é a comunicação que os homens podem estabelecer com os seres do mundo incorpóreo, e os conhecimentos que podem, em certos limites, adquirir sobre seu estado futuro. O fato das comunicações com o mundo invisível se encontra em termos inequívocos nos relatos bíblicos; mas, de um lado, para certos céticos, a Bíblia não tem uma autoridade suficiente. Por outro lado, para os crentes, são fatos sobrenaturais suscitados por um favor especial da Divindade. Não haveria aí, pois, para todo o mundo, uma prova da generalidade dessas manifestações, se não as encontrássemos em milhares de outras fontes diferentes. A existência dos espíritos, e sua intervenção no mundo corporal, está atestada e demonstrada, não mais como um fato excepcional, mas como princípio geral, em Santo Agostinho, São Jerônimo, São Crisóstomo, São Gregório de Nazianzeno e muitos outros pais da Igreja. Essa crença forma, por outro lado, a base de todos os sistemas religiosos. Os mais sábios filósofos da antiguidade a admitiram: Platão, Zoroastro, Confúcio, Apuleio, Pitágoras, Apolônio de Tiana e tantos outros.

Nós a encontramos nos mistérios e nos oráculos, entre os Gregos, os Egípcios, os Hindus, os Caldeus, os Romanos, os Persas, os Chineses. Vemos sobreviver a todas as vicissitudes dos povos, a todas as perseguições, desafiar todas as revoluções físicas e morais da humanidade. Mais tarde, a encontramos nos adivinhos e feiticeiros da Idade Média, nos Willis e nas Walkirias dos Escandinavos, nos Elfos dos Teutões, nos Les-

chios e nos Domeschnios Doughi dos Eslavos, nos Ourisks e nos Brownies da Escócia, nos Poulpicans e nos Tensarpoulicts dos Bretões, nos Cemis dos Caraíbas, em uma palavra, em toda a falange de ninfas, de gênios bons e maus, de silfos, de gnomos, de fadas, de duendes, com os quais todas as nações povoaram o espaço. Encontramos a prática das evocações entre os povos da Sibéria, no Kamtchatka, na Islândia, entre os índios da América do Norte, entre os aborígenes do México e do Peru, na Polinésia e mesmo entre os estúpidos selvagens da Oceania. De alguns absurdos que essa crença esteja cercada e disfarçada segundo os tempos e os lugares, não se pode deixar de convir que ela parte de um mesmo princípio, mais ou menos desfigurado. Uma doutrina não se torna universal nem sobrevive a milhares de gerações, nem se implanta de um polo ao outro entre os mais diferentes povos e em todos os graus da escala social sem estar fundada em alguma coisa de positiva. O que é essa coisa? É o que nos demonstram as recentes manifestações. Procurar as relações que podem e devem ter entre essas manifestações e todas essas crenças é procurar a verdade. A história da Doutrina Espírita, de alguma forma, é a do espírito humano; iremos estudar todas essas fontes que nos fornecerão uma mina inesgotável de observações, tão instrutivas quanto interessantes, sobre os fatos gerais pouco conhecidos. Essa parte nos dará a oportunidade de explicar a origem de uma multidão de lendas e de crenças populares, interpretando a parte da verdade, da alegoria e da superstição. No que concerne às manifestações atuais, daremos conta de todos os fenômenos patentes, dos quais formos testemunhas ou que vierem ao nosso conhecimento, quando parecerem merecer a atenção dos nossos leitores. Faremos o mesmo com os efeitos espontâneos que se produzem, frequentemente, entre as pessoas, mesmo as mais estranhas às práticas das manifestações espíritas, e que revelem seja a ação oculta, seja a independência da alma; tais são os fatos de visões, aparições, dupla vista, pressentimentos, advertências íntimas, vozes secretas etc. À relação dos fatos acrescentaremos a explicação, tal como ela ressalta do conjunto dos princípios. Faremos anotar, a esse respeito, que esses princípios são aqueles que decorrem do próprio ensinamento dado pelos espíritos, e que faremos, sempre, abstração das nossas próprias ideias. Não será, pois, uma teoria pessoal que exporemos, mas a que nos tiver sido comunicada, e da qual não seremos senão o intérprete. Uma larga parte será, igualmente, reservada às comunicações escritas ou verbais dos espíritos todas as vezes que tiverem um fim útil, assim como as evocações de personagens antigas ou modernas, conhecidas ou obscuras, sem negligenciar as evocações íntimas que, frequentemente, não são menos instrutivas. Abarcaremos, em uma palavra, todas as fases das manifestações materiais e inteligentes do mundo incorpóreo. A Doutrina Espírita nos oferece, enfim, a única solução possível e racional de uma multidão de fenômenos morais e antropológicos, dos quais, diariamente, somos testemunhas, e para os quais se procuraria, inutilmente, a explicação em todas as doutrinas conhecidas. Classificaremos nessa categoria, por exemplo, a simultaneidade dos pensamentos, a anomalia de certos caracteres, as simpatias e as antipatias, os conhecimentos intuitivos, as aptidões, as propensões, os destinos que parecem marcados de fatalidade, e, num quadro mais geral, o caráter distintivo dos povos, seu progresso ou sua degeneração etc. À citação dos fatos acrescentaremos a busca das causas que puderam produzi-los. Da apreciação desses atos, ressaltarão, naturalmente, úteis ensinamentos sobre a linha de conduta mais conforme com a moral. Em suas instruções, os espíritos superiores têm sempre por objetivo excitar nos homens o amor ao bem pela prática dos preceitos evangélicos; nos traçam, por isso mesmo, o pensamento que deve presidir à redação dessa coletânea. Nosso quadro, como se vê, compreende tudo o que se liga ao conhecimento da parte metafísica do homem. Nós a estudaremos em seu estado presente e futuro, porque estudar a natureza dos espíritos é estudar o homem, uma vez que deverá fazer parte um dia do mundo dos espíritos. Por isso acrescentamos, ao nosso título principal, o de jornal de estudos psicológicos, a fim de fazer compreender toda a sua importância.

Por multiplicadas que sejam nossas observações pessoais, e as fontes em que as haurimos, não dissimulamos nem as dificuldades da tarefa, nem a nossa insuficiência. Contamos, para isso suprir, com o concurso benevolente de todos aqueles que se interessam por essas questões. Seremos, pois, muito reconhecidos pelas comunicações que queiram bem nos transmitir sobre os diversos objetos de nossos estudos. Apelamos a esse respeito a sua atenção sobre os pontos seguintes, sobre os quais poderão fornecer documentos:

1. Manifestações materiais ou inteligentes, obtidas em reuniões às quais assistiram;

2. Fatos de lucidez sonambúlica e de êxtase;

3. Fatos de segunda vista, previsões, pressentimentos etc.

4. Fatos relativos ao poder oculto atribuído a certos indivíduos;

5. Lendas e crenças populares;

6. Fatos de visões e aparições;

7. Fenômenos psicológicos particulares que ocorrem algumas vezes no instante da morte;

8. Problemas morais e psicológicos para resolver;

9. Fatos morais, atos notáveis de devotamento e abnegação dos quais possa ser útil propagar o exemplo;

10. Indicação de obras antigas ou modernas, francesas ou estrangeiras, em que se encontrem fatos relativos à manifestação de inteligências ocultas, com a designação e, se possível, a citação das passagens.

Do mesmo modo, no que concerne à opinião emitida sobre a existência dos espíritos e suas relações com os homens, pelos autores antigos ou modernos cujos nome e saber podem dar autoridade não faremos conhecimento dos nomes das pessoas que queiram nos dirigir as comunicações, senão quando, para isso, formos formalmente autorizados. [*R.E.*, 1858]

Uma nova empreitada: A Sociedade Parisiense de Estudos Espíritas

Os homens semeiam na Terra o que colherão na vida espiritual: os frutos da sua coragem ou da sua fraqueza.

Allan Kardec

Não obstante as tarefas que Kardec já havia abraçado nos últimos tempos, ele ainda decidiu se lançar em mais uma nova empreitada: pouco tempo após a criação da *Revista Espírita*, ele funda em Paris, a 1 de abril de 1858, a primeira sociedade espírita regularmente constituída, a Société Parisienne des Études Spirites, ou Sociedade Parisiense de Estudos Espíritas. A sede da Sociedade foi estabelecida primeiramente na Galeria de Valois, 35, no Palais-Royal, mudando-se em seguida para um dos salões do restaurante Douix, na Galeria de Montpensier, até a mudança definitiva para a rua Sainte-Anne, 59.

Nos meses anteriores à fundação da Sociedade, reuniões ocorriam na própria casa de Allan Kardec, localizada então à rua dos Mártires, 8, em Paris. Porém, como o lugar era pequeno e comportava pouco mais de duas dezenas de pessoas, um novo local foi providencial para que mais pessoas pudessem se juntar aos trabalhos que eram desenvolvidos.

Na Sociedade, além de se encontrar com médiuns, intelectuais e seguidores que o acompanhariam no trabalho de propagação da nova doutrina, Kardec também pôde experimentar pela primeira vez as oposições que o Espiritismo teria não só no exterior, mas entre os próprios seguidores.

Eleito por unanimidade o primeiro presidente da Sociedade Parisiense de Estudos Espíritas, em vários momentos Kardec se viu lutando contra vaidades e opositores dentro do próprio grupo – que, por vezes, o acusaram de se beneficiar financeiramente da Sociedade Espírita e enriquecer às custas do Espiritismo, o que lhe valeu alguns momentos de revolta. Afinal, Kardec sempre usou do próprio capital para custear as viagens que empreendeu para ver de perto as inúmeras sociedades espíritas que se formaram por toda a Europa e assim auxiliá-las no difícil trabalho de divulgação do Espiritismo.

Cinco anos depois da fundação, no discurso de aniversário da Sociedade, ele manifestou publicamente a irritação que lhe causaram as acusações e o quanto ele pensou em largar tudo.

> *A Sociedade, vos lembrais, senhores, teve suas vicissitudes; tinha em seu seio elementos de dissolução, provenientes da época em que recrutava muito facilmente, e sua existência foi mesmo por um instante comprometida. Naquele momento coloquei em dúvida sua utilidade real, não como simples reunião, mas como sociedade constituída. Fatigado com esses desacordos, estava resolvido a me retirar; esperava que, uma vez livre dos entraves semeados sobre o meu caminho, nela trabalharia tanto melhor na grande obra empreendida.* [*R.E.*, 1862]

Mas, mesmo com as dificuldades, a Sociedade Parisiense de Estudos Espíritas conseguiu ter êxito em seguir o que sua ata de fundação trazia:

> *Fundada em Paris em 1 de abril de 1858 e autorizada por decreto do senhor Prefeito de Polícia sobre o aviso de Sua*

Excelência, senhor Ministro do Interior e da Segurança Geral em data de 13 de abril de 1858. A extensão, por assim dizer, universal que tomam cada dia as crenças espíritas fazem desejar vivamente a criação de um centro regular de observações. Essa lacuna está sendo preenchida. A Sociedade, da qual estamos felizes por anunciar a formação, composta exclusivamente de pessoas sérias, isentas de prevenção, e animadas do desejo sincero de se esclarecerem, contou, desde o início, entre seus partidários, com homens eminentes pelo saber e posição social. Ela está chamada, disso estamos convencidos, a prestar incontáveis serviços para a constatação da verdade. Seu regulamento orgânico lhe assegura homogeneidade sem a qual não há vitalidade possível. Está baseada na experiência de homens e de coisas, e sobre o conhecimento das condições necessárias às observações que fazem o objeto de suas pesquisas. Os estrangeiros que se interessam pela Doutrina Espírita encontrarão, assim, vindo a Paris, um centro ao qual poderão se dirigir para se informarem, e onde poderão comunicar suas próprias observações. Para todas as informações relativas à Sociedade, dirigir-se ao senhor Allan Kardec, rua Sainte-Anne, 59, das três às cinco horas da tarde; ou ao senhor Ledoyem, livreiro, galeria d'Orleans, 31, no Palais-Royal. [R.E., 1858]

Pedido de demissão

O homem é assim o árbitro constante de sua própria sorte. Ele pode aliviar o seu suplício ou prolongá-lo indefinidamente. Sua felicidade ou sua desgraça depende da sua vontade de fazer o bem.

Allan Kardec

Pouco mais de um ano após a fundação da Sociedade, Allan Kardec já estava sobrecarregado. Vendo que ela já havia se transferido para a nova sede, muito mais ampla que a anterior, pensou que seria o momento de se desligar do cargo de presidente. Então, expressou-se da seguinte maneira em carta que publicou na *Revista Espírita*, em 1859:

Empreguei em minhas funções, que posso dizer laboriosas, toda a solicitude e toda a dedicação de que era capaz; do ponto de vista administrativo, esforcei-me por manter nas sessões uma ordem rigorosa e por imprimir-lhe um caráter de gravidade, sem o qual o prestígio de assembleia séria teria cedo desaparecido. Agora que a minha tarefa está terminada e que o impulso está dado, devo inteirar-vos da resolução que tomei de renunciar de futuro a toda espécie de função na Sociedade, mesmo a de diretor dos estudos; não ambiciono senão um título – o de simples membro titular, com que me sentirei sempre feliz e honrado. O motivo da minha determinação está na multiplicidade dos meus trabalhos que aumenta todos os dias pela extensão das minhas relações, pois, além daqueles que conheceis, preparo outros trabalhos mais consideráveis, que exigem longos e laboriosos estudos e não absorverão menos de dez anos. Os trabalhos da Sociedade não deixam de tomar muito tempo, quer para o preparo, quer para a coordenação e a passagem a limpo. Reclamam assiduidade muitas vezes prejudicial às minhas ocupações pessoais, pois que se torna indispensável a iniciativa quase exclusiva que me tendes deixado. É a esse motivo, meus senhores, que devo o ter tantas vezes tomado a palavra, lamentando com frequência que os membros eminentemente esclarecidos que possuímos nos privassem das suas luzes. Desde muito tempo alimentava o desejo de demitir--me das minhas funções: manifestei-o de modo muito explícito em diversas ocasiões, quer aqui, quer em particular a muitos dos meus colegas, e especialmente ao senhor Ledoyen. Tê-lo-ia feito mais cedo, se não fora o temor de produzir uma perturbação na Sociedade. Retirando-me no meio do ano poderiam acreditar em uma deserção, e era preciso não dar esse prazer aos nossos adversários. Desempenhei, portanto, a minha tarefa até o fim. Hoje, porém, que esses motivos cessaram, apresso-me em vos dar parte da minha resolução para não embaraçar a escolha que fareis. É justo que cada um tenha a sua parte nos encargos e nas honras. [*R.E.*, 1859]

Apesar de toda a eloquência na carta, o pedido de demissão foi negado. Em nova assembleia, Kardec foi reeleito presidente da Sociedade Parisiense de Estudos Espíritas, cargo que ocupou até seu desencarne, em 1869.

Um dos motivos para o pedido de demissão foi o desejo de ampliar suas viagens, para assim auxiliar na propagação do Espiritismo e conhecer as diferentes sociedades espíritas que se formavam em todo o mundo. Em setembro de 1859, ele esteve em Lyon, sua cidade natal, e também nas cidades francesas de Mâcon, Sens e Saint-Etienne. Nelas, pôde observar admirado o progresso que o Espiritismo experimentava, notando já centenas de pessoas nas reuniões as quais compareceu. Além disso, se impressionou com a sinceridade dos propósitos dos frequentadores, que deixavam a busca exclusiva pelos espetáculos das manifestações espirituais e passavam a perceber o alcance filosófico do Espiritismo e das mensagens trazidas, buscando incorporar às suas vidas a prática moral. O Espiritismo avançara, e havia há tempos deixado de ser associado somente ao espetáculo proporcionado pelas mesas girantes – que, àquela altura, já haviam saído de moda como fonte de divertimento da sociedade. Ele agora se espalhava por todas as classes sociais, em especial a classe operária, na qual já possuía centenas de seguidores.

Os próprios inimigos do Espiritismo diminuíam. Muitas vezes, o Espiritismo e a figura de Allan Kardec foram alvo de sarcasmo por parte de opositores, mas esse tipo de manifestação rareara perceptivelmente.

Assim, o avanço era incontestável, e a própria *Revista Espírita* já contava com assinantes em diversos locais, incluindo Paris e suas províncias, Inglaterra, Escócia, Holanda, Bélgica, Prússia, São Petersburgo, Moscou, Nápoles, Florença, Milão, Gênova, Turim, Genebra, Madri, Xangai (China), Batávia, Caiena, México, Canadá e Estados Unidos, entre outros. Certamente, um feito, dado que naquela época ainda não haviam ocorrido as transformações tecnológicas que hoje propiciam que a informação se propague quase instantaneamente mundo afora. Além disso, os veículos de comunicação impressos praticamente não repercutiam notícias sobre o Espiritismo, à exceção de uns poucos, que tratavam a nova doutrina de maneira jocosa, fazendo piadas sobre a existência de espíritos ou atribuindo-a a seres diabólicos. Mesmo os jornalistas mais simpáticos ao Espiritismo acabavam calados pelos interesses dos veículos em que trabalhavam, que temiam perder assinantes ao propagar ideologias contrárias às crenças de seus leitores.

Mesmo assim, os números de adeptos começavam a chamar a atenção. Em 5 de fevereiro de 1859, a *Weekly American* divulgou estatísticas sobre o Espiritualismo: estimava-se em 1.284.000 o número de espiritualistas nos Estados Unidos, sendo que o total no mundo era de aproximadamente 1,9 milhão, incluindo 1 mil oradores espiritualistas e 40 mil médiuns. Havia também 500 livros e brochuras sobre o assunto, além de seis jornais semanais, quatro mensais e três semimensais. Apesar de não haver naquele momento estatísticas de fato seguras a respeito do Espiritismo, era nítido que a quantidade de adeptos já era grande e não parava de crescer.

Um dos médiuns mais notáveis da história

O fardo é proporcional às forças, como a recompensa será proporcional à resignação e à coragem.

Allan Kardec

Allan Kardec, mesmo destacando sempre o caráter filosófico e religioso do Espiritismo, não deixou de estudar os fenômenos de efeitos físicos, sempre buscando avaliar sua autenticidade. Sua justificativa para isso foi a de que os fenômenos de efeitos físicos são a força impulsionadora para que as pessoas busquem conhecer o Espiritismo.

Um dos médiuns que despertaram especial atenção do Codificador foi o célebre Daniel Dunglas Home, que nasceu em 15 de março de 1833, na Escócia, e viveu até os 53 anos, vindo a falecer em Paris, em 21 de junho de 1886.

Dunglas Home, o poderoso médium de efeitos físicos, ficou mundialmente conhecido por, dentre outras coisas, levitar em locais abertos com a presença de grandes plateias, que assistiam ao fenômeno com um misto de espanto, surpresa e medo. Também conhecido pela alcunha de "médium voador", Home foi tema de três grandes artigos escritos por Allan Kardec para a *Revista Espírita* durante o ano de 1858, o que fez com que este, involuntariamente, se tornasse um de seus principais biógrafos.

Nascido em Edimburgo, sua faculdade mediúnica se revelou desde cedo. Com apenas seis meses, seu berço se balançava inteiramente sozinho e mudava de lugar. Na infância, sentado no tapete, conseguia involuntariamente mover todos os brinquedos até que estivessem ao seu alcance, e suas primeiras visões ocorreram quando tinha apenas três anos.

Aos nove anos, sua família se mudou para os Estados Unidos, e os fenômenos continuaram ocorrendo com ele de maneira cada vez mais intensa. Tornou-se célebre a partir dos anos 1850, um período em que a popularidade dos fenômenos físicos produzidos por médiuns se alastrava pela América do Norte, na esteira das irmãs Fox.

Em 1854, mudou-se para a Itália por orientação médica, em decorrência de sua necessidade de respirar um ar mais puro por conta da tuberculose, que o acompanhava há anos. Residiu depois em Londres e, por fim, em Paris, onde fez diversas apresentações para o grande público. Tornou-se alvo de intensas críticas na imprensa da época, que, por muitas vezes, tentou desmascará-lo, buscando a comprovação de que os fenômenos que produzia se tratavam de fraude.

Desde o início, Allan Kardec não concordou com a perseguição imposta ao médium e se colocou a destacar na *Revista Espírita* especialmente o fato de Dunglas Home nunca ter cobrado pelas apresentações, fazendo-as como missionário que buscava comprovar a vida depois da morte. Sem esconder sua admiração pelo médium, Kardec o descrevia como:

> *[...] descendente da antiga e nobre família dos Dunglas da Escócia, outrora soberana. É um jovem de talhe mediano, louro, cuja fisionomia melancólica nada tem de excêntrica; é de compleição muito delicada, de costumes simples e suaves, de um caráter afável e benevolente sobre o qual o contato das grandezas não lançou nem arrogância, nem ostentação. Dotado de uma excessiva*

modéstia, jamais exibiu sua maravilhosa faculdade, jamais falou de si mesmo e, se na expansão da intimidade, conta coisas que lhe são pessoais, é com simplicidade, e jamais com a ênfase própria das pessoas com as quais a maledicência procura compará-lo. Vários fatos íntimos, que são do nosso conhecimento pessoal, provam nele nobres sentimentos e uma grande elevação de alma. Nós o constatamos com tanto maior prazer quanto se conhece a influência das disposições morais. [*R.E.*, 1858]

Segundo Kardec, a vinda de Dunglas Home para a França fora providencial, pois os franceses ainda duvidavam das manifestações físicas e tinham necessidade de presenciar grandes fenômenos, como os protagonizados por ele. Assim, o Codificador destacou que a presença do médium em Paris foi um poderoso evento para a propagação das ideias espíritas, reafirmando que, se não convenceu a todos, lançou sementes que frutificariam com o tempo. Além disso, o Codificador tratou sempre de defendê-lo contra artigos de opositores.

O senhor Home, vindo à França, não se dirigiu ao público; ele não ama nem procura a publicidade. Se tivesse vindo com objetivo de especulação, teria corrido o país solicitando a propaganda em sua ajuda, teria procurado todas as ocasiões de se promover, ao passo que as evita, e teria posto um preço às suas manifestações, ao passo que ele não pede nada a ninguém. Malgrado a sua reputação, o senhor Home não é, pois, o que se pode chamar um homem público, sua vida privada só pertence a ele. Do momento que nada pede, ninguém tem o direito de inquirir como vive, sem cometer uma indiscrição. É sustentado por pessoas poderosas? Isso não nos diz respeito; tudo o que podemos dizer é que, nessa sociedade de elite, conquistou simpatias reais e fez amigos devotados. Assim, não vemos no senhor Home senão uma coisa: um homem dotado de uma faculdade notável, e o estudo dessa faculdade é tudo o que nos interessa, e o que deve interessar a quem não esteja movido unicamente pelo sentimento da curiosidade. [*R.E.*, 1858]

Médium de fenômenos físicos, sob a influência de Home se produziam os mais estranhos ruídos, o ar se agitava, corpos sólidos se moviam, se erguiam, se transportavam de um lugar a outro, instrumentos de música produziam sons, seres do mundo extracorpóreo apareciam, falavam, escreviam e até abraçavam quem estivesse nas imediações. Ele mesmo foi visto inúmeras vezes, na presença de testemunhas oculares, elevado sem sustentação a vários metros de altura.

Home casou-se duas vezes. A primeira delas, em 1858, com Alexandria de Kroll, a filha de 17 anos de uma família nobre russa, com quem teve um filho. Após ficar viúvo (quatro anos depois do casamento, apenas), casou-se pela segunda vez, agora com Julie de Gloumeline, uma rica senhora russa.

Era constantemente envolvido por seus opositores em escândalos públicos - que, se não conseguiam provar que os fenômenos que produzia eram meras mistificações, tentavam a todo custo ridicularizá-lo. Por vezes, viu-se em situações difíceis, como quando foi condenado a devolver 60 mil libras que a senhora Lyon havia lhe concedido em 1866. A senhora Lyon, arrependida de tal ato, buscou na Justiça o ressarcimento, acusando-o de seduzi-la e de convencê-la a lhe dar o dinheiro, usando para isso seus poderes espirituais. Como na Justiça britânica o réu é o responsável por provar sua inocência - e não havia como produzir evidências que a provassem -, Home foi condenado e devolveu o dinheiro, não sem antes ver sua imagem aviltada pela imprensa graças ao episódio. Porém, seus amigos da alta sociedade permaneceram ao seu lado durante e após o julgamento. Um deles, a rainha Sofia, da Holanda; outro, Napoleão III, que também admirava Allan Kardec e já o tinha encontrado em diversas oportunidades.

Abaixo a Inquisição!

Podem queimar os livros, mas não se queimam as ideias; as chamas das fogueiras as superexcitam em lugar de abafá-las. As ideias, aliás, estão no ar, e não há cordilheiras altas suficiente para detê-las; e quando uma ideia é grande e generosa, ela encontra milhares de peitos prontos para aspirá-la.

Allan Kardec

Em 9 de outubro de 1861, um fato marcaria para sempre a história do Espiritismo, dando-lhe novo impulso.

Alguns dias antes, Allan Kardec havia enviado 300 exemplares de obras espíritas para a Espanha, entre as quais a *Revista Espírita*, a *Revista Espiritualista*, *O livro dos espíritos*, *O livro dos médiuns*, *O que é o espiritismo*,

Fragmento de sonata, Carta de um católico sobre o espiritismo, A história de Joana d'Arc e *A realidade dos espíritos demonstrada pela escrita direta*, a fim de comercializá-las na livraria de Maurice Lachâtre, um francês exilado em Barcelona adepto das ideias iluministas e crítico da igreja católica.

Kardec solicitara à alfândega espanhola permissão para enviar os livros, mas os encarregados julgaram ser necessário submetê-la à autoridade episcopal. Após avaliação, a autoridade episcopal não só proíbe a entrada das obras no país como determina que sejam queimadas em praça pública, não atendendo à prática comum que determinava enviá-las de volta ao país de origem.

Em sua decisão, o bispo de Barcelona afirmou que "a igreja católica é universal, e, como os livros são contrários à fé católica, o governo não pode consentir que eles pervertam a moral e a religião de outros países".

Allan Kardec ficou indignado com a notícia e resolveu consultar os espíritos sobre o que fazer. Por lei, ele poderia promover uma ação diplomática e obrigar o governo espanhol a devolver as obras. Os espíritos, porém, o dissuadiram disso, dizendo que era preferível para a propaganda do Espiritismo deixar a ação seguir seu curso.

Sobre essa situação, Kardec revela sua indignação inicial e os conselhos recebidos pelos espíritos em artigo que publicou na *Revista Espírita* em 1861:

Perguntamos se a destruição dessa propriedade, em tais circunstâncias, não é um ato arbitrário e fora do direito comum. Examinando este assunto do ponto de vista de suas consequências, diremos primeiro que não houve senão uma voz para dizer que nada podia ser mais feliz para o Espiritismo. A perseguição sempre foi aproveitável à ideia que se quis destruir, pois lhe exalta a importância e desperta a atenção, o que a torna conhecida daqueles que a ignoravam. Graças a esse zelo imprudente, todos na Espanha vão ouvir falar do Espiritismo e terão interesse em saber o que é, e isso é exatamente o que desejamos. Podem-se queimar os livros, mas não se queimam as ideias; as chamas das fogueiras as superexcitam em lugar de abafá-las. As ideias, aliás, estão no ar, e não há cordilheiras altas suficiente para detê-las. Quando uma ideia é grande e generosa, ela encontra milhares de peitos prontos para aspirá-la. O que se lhe haja feito, o Espiritismo já tem numerosas e profundas raízes na Espanha, e as cinzas da fogueira

> *vão fazê-las frutificar. Mas não será só na Espanha que esse resultado será produzido, é o mundo inteiro que lhe sentirá o contragolpe.* [*R.E.*, 1861]

Assim, o bispo de Barcelona fez queimar em praça pública as obras em questão. Acompanharam o espetáculo deprimente um padre, que trazia uma cruz e uma tocha nas mãos; um notário, encarregado de redigir a ata do auto de fé; o escrevente do notário; um empregado de alto escalão da administração da alfândega; três serventes da alfândega, encarregados de manter o fogo; e um agente representando o proprietário das obras condenadas pelo bispo.

Uma multidão incalculável aglomerou-se e cobriu a esplanada em que ardia a fogueira. Quando as chamas consumiram os trezentos volumes espíritas, o padre e seus ajudantes se retiraram cobertos pelos apupos dos numerosos assistentes, que gritavam: "Abaixo a Inquisição!".

Muitas pessoas, em seguida, se aproximaram da fogueira e recolheram as cinzas. Uma parte delas foi enviada a Kardec, que destacou na *Revista Espírita* de 1861 a repercussão que o episódio teve na imprensa espanhola.

Os jornais espanhóis não foram tão moderados em reflexões sobre esse acontecimento quanto os jornais franceses. Qualquer que seja a opinião que se professe com respeito às ideias espíritas, há, no próprio fato, alguma coisa tão estranha para o tempo em que vivemos, que ele excita mais piedade do que cólera contra as pessoas que parecem ter dormido há vários séculos, e despertados sem ter consciência do caminho que a humanidade percorreu, acreditam que ainda estão no ponto de partida. Eis um extrato do artigo publicado a esse respeito por Las Novedades, *um dos grandes jornais de Madrid: "O auto de fé celebrado há alguns meses em La Coruña, onde se queimou um grande número de livros à porta de uma igreja, produzira em nosso espírito, e no de todos os homens de ideias liberais, tristíssima impressão. Mas foi com uma indignação muito maior ainda que foi recebida, em toda a Espanha, a novidade do segundo auto de fé celebrado em Barcelona, nessa bela capital civilizada da Catalunha, em meio a uma população essencialmente liberal, à qual, sem dúvida, se fez esse insulto bárbaro, porque se reconhece nela grandes qualidades [...].*

A jurisprudência pode admitir que um bispo diocesano tenha uma autoridade sem apelação e possa impedir a publicação e a circulação de um livro? Dir-se-nos-á que a lei sobre a imprensa assinala o que se deve fazer nesse caso; mas essa lei diz que os livros, tão maus e perniciosos que sejam, serão lançados ao fogo com esse preparativo? Nela não encontramos nenhum artigo que possa justificar semelhante ato. Além disso, os livros em questão foram publicamente declarados. Um comissário declara os livros à alfândega, porque poderiam estar na categoria daqueles que o artigo 6 assinala, passam à censura diocesana, o governo proíbe a circulação e a coisa está terminada. Os padres deveriam se limitar a aconselhar aos seus fiéis de se absterem de tal ou tal leitura, se a julgassem contrária à moral e à religião, mas não se deveria lhes conceder um poder absoluto que os torna juízes e carrascos. Abstemo-nos de emitir qualquer opinião sobre o valor das obras queimadas. O que vemos é o fato, suas tendências e o espírito que ele revela. Em qual diocese se absterá, doravante, de usar, senão de abusar, de uma faculdade que, segundo o nosso julgamento, o próprio governo não tem, se, em Barcelona, na liberal Barcelona, o fazem?[...]". [*R.E.*, 1861]

Pouco menos de um ano após esse episódio, mais precisamente em 9 de agosto de 1862, o bispo de Barcelona veio a falecer, sendo enterrado com a pompa habitual dedicada aos chefes da igreja. Na época, um correspondente da *Revista Espírita* que morava em Barcelona sugeriu que fosse feita a evocação do espírito que, em vida, fora o bispo, para que este pudesse dar suas impressões sobre o que havia encontrado do outro lado. Diferentemente do processo de comunicação espontânea, em que qualquer espírito pode se manifestar, na evocação, processo bem mais raro hoje em dia, somente pode se manifestar o espírito que é o alvo daquela evocação.

Kardec aceitou a sugestão e formulou uma série de perguntas, que seriam feitas com a ajuda de um médium – o intermediário da comunicação. Porém, assim que se fez a evocação, e antes que se pudesse fazer qualquer pergunta, o espírito que havia encarnado como bispo de Barcelona transmitiu uma mensagem que continha as respostas a todas as questões formuladas. Adicionalmente, o espírito do bispo pedia perdão pelo ato que ordenara enquanto vivo e trazia informações sobre o que encontrara após seu desencarne, especialmente como sua visão sobre o Espiritismo havia mudado:

> *Ajudado por vosso chefe espiritual, pude vir vos ensinar pelo meu exemplo e vos dizer: não rejeitem nenhuma das ideias anunciadas, porque um dia, um dia que durará e pesará como um século, essas ideias anunciadas gritarão como a voz do anjo: "Caim, que fizeste de teu irmão?". Que fizeste de nosso poder, que devia consolar e elevar a humanidade? O homem que, voluntariamente, vive cego e surdo de espírito, como outros o são de corpo, sofrerá, expiará e renascerá para recomeçar o trabalho intelectual que sua preguiça e seu orgulho lhe fizeram evitar; e essa terrível voz me disse: "Queima-te as ideias, e as ideias te queimaram. [...] Orai por mim; orai, porque ela é agradável a Deus, a prece que lhe dirige o perseguido pelo perseguidor".*
> *Assinado: aquele que foi bispo e que não é mais do que um penitente.* [R.E., 1862]

Kardec racista?

Se a ciência disse uma coisa e os meus escritos outra, jogue os meus escritos fora.

Allan Kardec

Kardec teve uma missão muito difícil. Suas obras alteraram sobremaneira toda a crença difundida durante mais de um milênio e entraram em choque com muitos interesses de grupos distintos. Ao escolher seguir sua missão, ele passou a ser "vidraça". Era acompanhado de perto por muitos, que buscavam identificar qualquer erro que cometesse e que pudesse invalidar o conhecimento que trazia em suas obras.

Sabedor disso, em mais de uma ocasião, Kardec deu crédito total aos espíritos pela nova doutrina, alertando que ele era falível e deixando muito claro o que fora dito pelos espíritos e o que eram impressões suas.

Mesmo assim, alguns dos escritos não escaparam daqueles que procuravam algo para invalidar sua obra. Muitos anos após seu desencarne, dois textos escritos por Kardec, o primeiro publicado na *Revista Espírita* em 1862 – intitulado "Frenologia espírita e a perfectibilidade da Raça Negra" –, e o segundo, publicado em *Obras póstumas* – com o título "Teoria da beleza" –, livro editado após seu desencarne que reuniu seus escritos ainda sem publicação, acabaram por suscitar acusações de que Kardec teria sido racista.

Porém, para chegar a essa conclusão, é preciso desconsiderar totalmente o contexto em que foram escritos. A abolição da escravatura no Brasil se deu em 13 de maio de 1888, quando a Princesa Isabel assinou a Lei do Ventre Livre, dando a liberdade a mais de 700 mil negros que viviam em terras brasileiras.

Apesar de ter sido promulgada um pouco antes, a abolição da escravidão na França também se deu de maneira tardia, em 1848, com a proclamação da Segunda República. Antes disso, havia sido abolida em 3 de fevereiro de 1794, mas fora retomada por um decreto de Napoleão Bonaparte, em 1802.

Do mesmo modo, o termo "racista" só foi usado pela primeira vez para qualificar alguém preconceituoso muitos anos após o desencarne de Kardec, sendo que, na época em que ele estava encarnado, nada se falava sobre o assunto.

Kardec usava a *Revista Espírita* para debater ideias da época, suscitando discussões e reflexões sobre assuntos do momento, com muitos textos de sua autoria. Nos textos mencionados, o Codificador, que jamais teve a oportunidade de conviver com um negro e, portanto, tinha uma visão completamente distorcida dos "selvagens africanos", baseada somente em leituras e em especial nas ideias de Gall sobre a frenologia, discorre sobre a inferioridade da raça negra. Os trechos mais polêmicos afirmam:

> *A raça negra é perfectível? Segundo algumas pessoas, essa questão está julgada e resolvida negativamente. Se assim é, e se essa raça está votada por Deus a uma eterna inferioridade, a consequência é que é inútil se preocupar com ela, e que é preciso se limitar a fazer do negro uma espécie de animal doméstico adestrado para a cultura do açúcar e do algodão. No entanto, a humanidade, tanto quanto o interesse social, requer um exame mais atento: é o que iremos tentar fazer, mas como uma conclusão dessa gravidade não pode ser tomada levianamente e deve se apoiar sobre um raciocínio*

sério, pedimos a permissão para desenvolver algumas considerações preliminares, que nos servirão para mostrar, uma vez mais, que o Espiritismo é a única chave possível de uma multidão de problemas insolúveis com a ajuda dos dados atuais da ciência. A frenologia nos servirá de ponto de partida.

[...] A respeito dos negros escravos, diz-se que são seres tão brutos, tão pouco inteligentes, que seria trabalho perdido procurar instruí-los: é uma raça inferior, incorrigível e profundamente incapaz. A teoria que acabamos de dar permite encará-los sob outra luz. Na questão do aperfeiçoamento das raças, é preciso ter em conta dois elementos constitutivos do homem: o espiritual e o corpóreo. É preciso conhecê-los, mas só o Espiritismo pode esclarecer sobre a natureza do elemento espiritual, uma vez que é este que sobrevive, ao passo que o elemento corpóreo se destrói com a morte. Os negros, pois, como organização física, serão sempre os mesmos. Como espíritos, sem dúvida, são uma raça primitiva, sendo verdadeiras crianças às quais se pode ensinar muita coisa e modificar certos hábitos, certas tendências, o que já é um progresso que levarão para outra existência,

e que lhes permitirá, mais tarde, tomar um envoltório em melhores condições. Trabalhando para o seu adiantamento, consegue-se menos para o presente do que para o futuro, e, por pouco que se ganhe, é sempre para eles uma grande aquisição. Assim, cada progresso é um passo adiante, que facilita novos progressos. Sob o mesmo envoltório, quer dizer, com os mesmos instrumentos de manifestação do pensamento, as raças não são perfectíveis senão em limites estreitos, pelas razões que desenvolvemos. Eis por que a raça negra corporeamente falando jamais alcançará o nível das raças caucásicas, mas, enquanto espíritos, é outra coisa. Ela pode se tornar o que somos, e somente será preciso tempo e melhores instrumentos. Eis por que as raças selvagens, mesmo em contato com a civilização, permanecem sempre selvagens, mas, à medida que as raças civilizadas se ampliam, as raças selvagens diminuem, até que desapareçam completamente, como desapareceram as raças dos Caraíbas, dos Guanches, e outras. Os corpos desapareceram, mas em que se tornaram os espíritos? Mais de um, talvez, esteja entre nós. Dissemos, e repetimos, o Espiritismo abre horizontes novos a todas as ciências. Quando os sábios

> *consentirem em levar em conta o elemento espiritual nos fenômenos da Natureza ficarão muito surpresos em ver as dificuldades, contra as quais se chocavam a cada passo, se aplainarem como por encanto. Porém é provável que, para muitos, será preciso renovar o hábito. Quando retornarem terão tido o tempo de refletir, e trarão novas ideias. Encontrarão as coisas muito mudadas neste mundo, e as ideias espíritas, que repelem hoje, terão germinado por toda parte e serão a base de todas as instituições sociais. Eles mesmos serão educados e nutridos nessa crença que abrirá, ao seu gênio, um novo campo para o progresso da ciência. À espera disso, e enquanto estão aqui, que procurem a solução deste problema: por que a autoridade de seu saber, e suas negações, não detêm, por um único instante, a marcha cada vez mais rápida das ideias novas...* [*R.E.*, 1862]

Porém, sobre o mesmo assunto, os espíritos revelam por meio de Kardec que "todos os homens são irmãos em Deus, pois eles são animados por um espírito e tendem ao mesmo fim" e que "toda sujeição absoluta de um homem a outro é contrária à lei de Deus, sendo a escravidão um abuso da força, que desaparece com o progresso, como desaparecerão pouco a pouco todos os abusos, pois a lei humana que consagra a escravidão é contra a natureza".

Assim, o Espiritismo deixa claro que todos os seres são iguais perante Deus e condena qualquer tipo de discriminação e a escravidão. Kardec, ao falar de uma raça que desconhecia por falta de convivência, estava apenas teorizando e especulando sobre frenologia, jamais incitando qualquer ato racista, ainda que hoje, mais de 150 anos depois, seu artigo seja completamente inadequado e esteja totalmente apartado da realidade atual. Porém, infelizmente, naquela época, esse era o pensamento dominante, tanto que só houve questionamento sobre esses artigos muitos anos após o desencarne do Codificador.

O artigo "A teoria da beleza", engavetado por Kardec, mas publicado em *Obras póstumas*, discorre sobre a beleza física e a beleza espiritual em diferentes civilizações da história, mas uma passagem, tirada do contexto, acabou também por colocar mais lenha na fogueira:

> *O negro pode ser belo para o negro, como um gato é belo para um gato; mas não é belo em sentido absoluto, porque seus traços grosseiros e seus lábios espessos acusam*

a materialidade dos instintos. Podem exprimir as paixões violentas, mas não podem prestar-se a evidenciar os delicados matizes do sentimento, nem as modulações de um espírito fino. Daí podermos, sem fatuidade, dizer que somos mais belos do que os negros e do que os nômades africanos. Mas pode ser que para as gerações futuras melhoradas sejamos o que são os nômades africanos com relação a nós. E quem sabe se, quando encontrarem os nossos fósseis, elas não os tomarão pelos de alguma espécie de animais? [*R.E.*, 1862]

Porém, para interpretar corretamente esse trecho, é preciso proceder à leitura completa do artigo e ver que Kardec tomou os negros como exemplo em um momento em que a escravidão acabara de ser abolida na França. Mesmo os que defendiam seu término foram criados com as ideias enraizadas de distinção de raças pela cor da pele. Ainda que politicamente incorreto nos tempos atuais, especialmente no tocante a colocar na mesma frase um animal e um negro a título de comparação, o artigo como um todo não incita o racismo, e Kardec sempre viu o Espiritismo como uma doutrina universal, que abrigaria a todos, independentemente de sexo, cor ou condição financeira.

Para seus opositores, no entanto, os textos publicados na *Revista Espírita* e em *Obras póstumas*, tirados completamente do contexto histórico e sonegando-se passagens de *O livro dos espíritos*, continuam sendo objeto de divulgação, em uma tentativa de macular a imagem do Codificador.

Autópsia Espiritual

A vida espiritual é a vida normal do Espírito: é eterna. A vida corporal é transitória e passageira: não passa de um instante na eternidade.

Allan Kardec

Uma prática comum entre os membros da Sociedade Parisiense de Estudos Espíritas era a evocação de espíritos para que dessem testemunho sobre o que existia do Outro Lado, especialmente espíritos de membros da Sociedade que se voluntariavam a prestar o testemunho assim que desencarnassem e fossem evocados. Claro que ninguém queria ser o próximo a dar testemunho, mas os que ficavam certamente esperavam que os desencarnados se comunicassem brevemente.

Um dos que se voluntariaram, e teve seu testemunho amplamente conhecido após ter sido publicado na *Revista Espírita* em 1862, foi o senhor Sanson.

Membro da Sociedade Parisiense de Estudos Espíritas, o senhor Sanson faleceu em 21 de abril de 1862, depois de mais de um ano de sofrimento. Como seu estado vinha constantemente se agravando, ele entregou a Kardec a seguinte carta enquanto ainda vivia:

Caro e honroso presidente. Em caso de surpresa pela desagregação de minha alma e de meu corpo tenho a honra de vos lembrar um pedido que já vos fiz há mais ou menos um ano: o de evocar meu Espírito, o mais imediatamente possível e o mais frequentemente que o julgardes propósito, a fim de que, membro bastante inútil de nossa Sociedade durante a minha presença sobre a Terra, possa lhe servir para alguma coisa além-túmulo, dando-lhe os meios de estudar fase por fase em suas evocações as diversas circunstâncias que seguem o que o vulgo chama de morte, mas que para nós Espíritas não é senão uma transformação, segundo os objetivos impenetráveis de Deus, e sempre útil ao fim a que se propõe. Além desta autorização e pedido de me fazer a honra dessa espécie de autópsia espiritual, que meu pouquíssimo adiantamento como espírito talvez tornará estéril, caso em que a vossa sabedoria, naturalmente, vos levará a não prolongar mais longe que um certo número de tentativas, ouso vos pedir pessoalmente, assim como todos os meus colegas, que consintam suplicar ao Todo-Poderoso de permitir aos bons espíritos para me assistirem com seus conselhos benevolentes. São Luís, nosso presidente espiritual, que possa me guiar na escolha e sobre a época de uma reencarnação, porque, desde o presente, isto muito me ocupa. Tenho medo de me enganar sobre as minhas forças espirituais, e de pedir a Deus muito cedo, e muito presunçosamente, um estado corpóreo no qual não poderia justificar a bondade divina, o que, em lugar de servir para o meu adiantamento prolongaria a minha estada sobre a Terra ou outro lugar, no caso em que eu fracassasse [...]. [*R.E.*, 1862]

Assim que o senhor Sanson faleceu, Kardec fez questão de ir à câmara mortuária acompanhado de alguns membros da Sociedade e lá evocaram o espírito, aproximadamente uma hora antes do sepultamento. O seguinte dialogo então ocorreu:

Espírito – Venho à vossa chamada para cumprir a minha promessa.

Kardec – Meu caro senhor Sanson, nós fazemos um dever e um prazer vos evocar o mais cedo possível depois de vossa morte, assim como desejastes.

E. – É uma graça especial de Deus que permite ao meu Espírito poder se comunicar. Eu vos agradeço pela vossa boa vontade, mas estou fraco e tremo.

K. – Estava tão sofredor que podemos, penso, vos perguntar como está agora. Sente ainda as vossas dores? Que sensação sente, comparando a vossa situação presente com a de há dois dias?

E. – Minha posição é muito feliz, porque não sinto mais nada de minhas antigas dores. Estou regenerado de modo a tornar-me novo, como dizeis entre vós. A transição da vida terrestre para a vida dos espíritos tornou, de início, tudo incompreensível, porque ficamos, às vezes, sem recobrar a nossa lucidez, mas, antes de morrer, fiz uma prece a Deus para pedir-lhe poder falar àqueles a quem amo, e Deus me escutou.

K. – Ao cabo de quanto tempo recobrastes a lucidez de vossas ideias?

E. – Ao cabo de oito horas Deus, eu repito, me dera uma prova de sua bondade, julgando-me bastante digno, e não poderia jamais agradecer-lhe o bastante.

K. – Está muito certo de não ser mais de nosso mundo, e como constatou isso?

E. – Oh! Certamente, não sou mais de vosso mundo, mas estarei sempre perto de vós para vos proteger e vos sustentar, a fim de pregar a caridade e a abnegação, que foram os guias de minha vida. Depois, ensinarei a fé verdadeira, a fé espírita, que deve levantar a crença do justo e do bom. Estou forte e transformado. Não reconheceríeis mais o velho enfermo que devia tudo esquecer deixando longe dele todo prazer e alegria. Eu sou espírito e minha pátria é o espaço. Meu futuro é Deus, que irradia na imensidão. Gostaria muito de poder falar com os meus filhos, porque eu lhes ensinaria o que tiveram sempre a má vontade de não crer.

K. – Que efeito vos fez sentir a visão do vosso corpo, aqui ao lado?

E. – Meu corpo pobre e ínfimo despojo, deves ir para o pó, e olho com boa lembrança todos aqueles que me estimaram. Olho essa pobre carne deformada, morada de meu Espírito, prova de tantos anos! Obrigado, meu pobre corpo. Tu purificaste o meu Espírito e o sofrimento dez vezes santo me deu um lugar bem merecido, uma vez que acho, logo em seguida, a faculdade de vos falar.

K. – Conservastes vossas ideias até o último momento?

E. – Sim, meu Espírito conservou suas faculdades. Eu não via mais, mas pressentia toda minha vida se desenrolar diante de minha lembrança, e meu último pensamento, minha última prece, foi de poder vos falar, o que o faço agora. Depois pedi a Deus para vos proteger, a fim de que o sonho de minha vida se cumprisse.

K. – Tivestes consciência do momento em que vosso corpo deu o último suspiro? Que se passou convosco nesse momento? Que sensação teve?

E. – A vida se rompe e a visão, ou antes, a visão do Espírito, se estende. Acha-se o vazio, o desconhecido, e, levado não sei por qual sortilégio, me encontrei em um mundo onde tudo é alegria e grandeza. Eu não sentia mais, não me dava conta, e, contudo, uma felicidade inefável me enchia. Não sentia mais o aperto da dor.

K. – Tendes conhecimento... do que me proponho a ler sobre a vossa tumba? [R.E., 1862]

As primeiras palavras foram apenas pronunciadas, quando o espírito do senhor Sanson respondeu antes de terminar a pergunta. Além disso, respondeu a uma discussão que estava sendo travada entre membros da Sociedade que assistiam ao trabalho, sem que para isso fosse feita nenhuma pergunta.

> – *Oh, meu amigo, e o sei, porque vos vi ontem, e vos vejo hoje, e minha satisfação é muito grande. Obrigado! Obrigado! Falai, a fim de que se me compreenda e que se vos estime. Nada temo, porque se respeita a morte. Falai, pois, a fim de que os incrédulos tenham fé. Coragem, confiança, e que possam os meus filhos se converterem a uma crença reverenciada! Adeus!* [*R.E.*, 1862]

A conversa com o senhor Sanson foi retomada na sexta-feira seguinte, desta vez já na Sociedade Parisiense de Estudos Espíritas, usando-se para isso novamente um médium que, em vida, não o conheceu nem tinha qualquer informação sobre ele que pudesse ser usada para influenciá-lo na comunicação ou mesmo para que pudesse mistificá-la.

Essa experiência feita com o senhor Sanson foi repetida diversas outras vezes na Sociedade com membros que desencarnaram. Um deles era o senhor Charles-Julien Leclerc, um mecânico de 57 anos que morreu subitamente, após sofrer um AVC no momento em que entrava na ópera, em 2 de dezembro de 1866.

O senhor Charles havia morado muito tempo no Brasil e foi nesse país que travou seus primeiros contatos com o Espiritismo. Voltando à França, devotou-se à sua causa. Era um homem de bem, sendo estimado por todos que o conheceram.

Após se desprender do corpo físico, o senhor Charles se manifestou na sessão da Sociedade realizada logo após o seu enterro, com o auxílio do médium senhor Desliens, que proferiu as seguintes palavras ditadas pelo espírito:

> *Posso, enfim, por minha vez, vir a esta mesa! Embora minha morte seja recente, já fui tomado de impaciência mais de uma vez, mas não podia apressar a marcha do tempo. Eu também vos devia agradecer a prontidão em cercar os meus despojos mortais e os pensamentos simpáticos que enviastes ao meu Espírito. Oh! Mestre, obrigado por vossa benevolência, pela profunda emoção que sentistes, acolhendo meu amado filho. Como eu seria ingrato se não vos conservasse uma eterna*

gratidão! Meu Deus, obrigado! Meus votos estão realizados. Este mundo, que eu não conhecia senão através das comunicações dos espíritos, hoje posso apreciar a beleza. Em certa medida experimentei as mesmas emoções ao chegar aqui, mas infinitamente mais vivas do que as que senti ao atracar pela primeira vez nas terras da América. Eu não conhecia esse país senão pelo relato dos viajantes e estava longe de fazer uma ideia de suas paisagens. Deu-se o mesmo aqui. Como este mundo é diferente do nosso! Cada rosto é a reprodução exata dos sentimentos íntimos. Nenhuma fisionomia mentirosa. Impossível a hipocrisia, pois o pensamento se revela inteiramente ao olhar, benévolo ou maledicente, conforme a natureza do Espírito. Pois bem! Aqui ainda sou castigado por minha falta principal, a que combatia com tanto trabalho na Terra, e que tinha conseguido dominar em parte: a impaciência perturbou-me a tal ponto que já não sei exprimir minhas ideias com lucidez, embora esta matéria que outrora tanto me arrastava à cólera não mais exista! Mas, vamos, é preciso que me acalme. Fiquei muito surpreso com este fim inesperado! Eu não temia a morte e, desde muito tempo, a considerava como o fim da provação, mas essa morte tão imprevista não deixou de me causar um profundo abalo... Que golpe para a minha pobre mulher! Como o meu luto sucedeu rapidamente ao prazer! Eu sentia verdadeira satisfação em ouvir boa música, mas não pensava estar tão cedo em contato com a grande voz do infinito. Como a vida é frágil! Um glóbulo sanguíneo se coagula, a circulação sanguínea perde sua regularidade e tudo está acabado! Eu queria viver ainda alguns anos, ver meus filhos todos encaminhados, mas Deus decidiu de outro modo. Que seja feita a sua vontade! No momento em que a morte me feriu, recebi como que uma bordoada na cabeça, um peso esmagador me derrubou, então senti-me livre e aliviado. Planei acima de meus despojos, considerei com espanto as lágrimas dos meus e, enfim, dei conta do que me tinha acontecido. Reconheci-me prontamente. Vi meu segundo filho acorrer, chamado pelo telégrafo. Ah! Bem que tentei consolá-lo, soprei-lhe os meus melhores pensamentos e vi, com certa felicidade, alguns cérebros refratários pouco a pouco inclinados para o lado da crença que fez toda a minha força nestes últimos anos, à qual devia tão bons momentos. Se venci um pouco o homem velho, a quem o devo senão ao nosso caro ensino e aos reiterados conselhos de meus guias? E, contudo, eu corava, não obstante Espírito, deixando-me ainda dominar por esse maldito defeito: a impaciência. Por isso sou castigado, porque estava impaciente para me comunicar e vos contar mil detalhes, que sou obrigado a adiar. Oh! Serei paciente, mas com pesar. Estou tão feliz aqui, que me custa deixar-vos. Entretanto, bons amigos estão junto de mim e eles próprios se uniram para me acolher: Sanson, Baluze, Sonnez, o alegre Sonnez, de cujo humor satírico eu tanto gostava, depois Jobard, o bravo Costeau e tantos outros. Em último lugar a senhora Dozon, depois um pobre infeliz, muito para lastimar, e cujo arrependimento me toca. Orai por ele, como por todos os que se deixaram dominar pela prova. Em breve voltarei para me entreter novamente e, ficai certos, não serei menos assíduo às nossas caras reuniões, como Espírito, do que o era como encarnado. [R.E., 1867]

Perseguições a Kardec

Não é preciso retribuir o mal com o mal; o homem deve aceitar com humildade tudo o que tende a rebaixar-lhe o orgulho; é mais glorioso para si ser ferido do que ferir, suportar pacientemente uma injustiça do que ele próprio cometer uma. Vale mais ser enganado do que enganador, ser arruinado do que arruinar os outros.

Allan Kardec

É fato que nenhuma doutrina filosófica despertou tanta emoção quanto o Espiritismo, para o bem e para o mal. Assim como rapidamente chegou a milhões de adeptos em todo o mundo, que se viam maravilhados com o conhecimento e as respostas que tiveram sobre dúvidas filosóficas referentes à vida após a morte, outros tanto se colocaram como implacáveis perseguidores do Espiritismo, e mais de 150 anos depois continuam caluniando e maldizendo a doutrina trazida pelos espíritos, por meio da codificação de Kardec.

Como era de se esperar, o Codificador da doutrina foi sempre o principal alvo daqueles que buscavam minar a credibilidade do Espiritismo. Impassível, ele normalmente respondia a todo tipo de questionamento jocoso com a polidez que lhe era habitual. Porém, havia algo que realmente o tirava do sério, um assunto sobre o qual escreveu diversos artigos na *Revista Espírita*. O elevado número de textos revela que se tratava realmente de uma acusação espinhosa, que o irritava profundamente e sobre a qual não queria que restasse qualquer tipo de dúvida: a suposta fortuna que acumulara e que era divulgada em notícias caluniosas por opositores.

Era esse o assunto que mais incomodava Kardec. Primeiro, porque ele sabidamente nunca acumulou grandes somas materiais e, segundo, porque não queria que achassem que o Espiritismo buscava rechear o bolso do seu fundador, já que, desde o começo, a doutrina se norteou pelas máximas "fora da caridade não há salvação" e "dai de graça o que de graça recebeste", sendo contrária a qualquer tipo de cobrança por parte de médiuns ou de quem quer que realizasse trabalhos em seu nome. Até hoje, uma das caraterísticas marcantes do Espiritismo é o trabalho voluntário e a não cobrança de dízimo ou qualquer outro valor de seus seguidores, que são livres para fazer qualquer tipo de doação exclusivamente para a manutenção da Casa Espírita, caso assim o desejem.

Para Kardec, o pior era saber que boa parte das falsas acusações partia de membros da Sociedade Parisiense de Estudos Espíritas que, por algum melindre, passaram a disseminar notícias falsas sobre ele e o Espiritismo. Uma das adeptas, por exemplo, confessou ter recebido 50 francos na época para simular um estado de loucura após frequentar uma sessão espírita.

Porém, poucas histórias irritaram e chatearam tanto Allan Kardec como aquela que ele narrou na edição de junho de 1862 da *Revista Espírita*, no artigo que ironicamente chamou de "Os milhões do senhor Kardec".

> *Estamos informados que, numa grande cidade de comércio, onde o Espiritismo conta numerosos adeptos, e onde faz o maior bem entre a classe trabalhadora, um eclesiástico se fez propagador de certos ruídos que*

almas caridosas se apressaram em vender pela rua e, sem dúvida, amplificar. Segundo esses ditos, somos ricos por milhões. Em nossa casa tudo brilha, e não caminhamos senão sobre os mais belos tapetes de Aubusson. Conheceram-nos pobre em Lyon. Hoje temos carro de luxo a quatro cavalos, e vamos a Paris num trem principesco. Toda essa fortuna nos vem da Inglaterra, depois que nos ocupamos do Espiritismo e remuneramos largamente nossos agentes da província. Vendemos muito caro os manuscritos de nossas Obras, sobre os quais temos ainda uma reposição, o que não nos impede de vendê-los a preços loucos etc. Eis a resposta que demos à pessoa que nos transmitiu estes detalhes: "Meu caro senhor, ri muito dos milhões com os quais me gratifica, tão generosamente, o senhor abade V..., tanto mais que estava longe de desconfiar dessa boa fortuna. O relatório feito à Sociedade de Paris, antes do recebimento de vossa carta, e que está publicado acima, vem infelizmente reduzir essa ilusão a uma realidade muito menos dourada. De resto, não é a única inexatidão de vossa narração fantástica; primeiro, jamais morei em Lyon. Não vejo, pois, como se me conheceu ali pobre. Quanto ao meu carro de luxo a quatro cavalos, lamento dizer que se reduz aos cavalos de um carro de aluguel que tomo apenas cinco ou seis vezes por ano, por economia. É verdade que, antes das estradas de ferro, fiz várias viagens em diligência, mas esquece que nessa época o Espiritismo não estava em questão, e que é ao Espiritismo que devo, segundo ele, minha imensa fortuna. Onde, pois, pescou tudo isso senão no arsenal da calúnia? Isto parece tanto mais verossímil se pensamos na natureza da população no meio da qual se vendem esses ruídos. Convir-se-á que é preciso ter bem poucas boas razões para ser reduzido a tão ridículos expedientes para desacreditar o Espiritismo. O senhor abade não vê que vai direto contra seu objetivo, porque dizer que o Espiritismo me enriqueceu a esse ponto é confessar que ele está imensamente difundido. Portanto, se está tão difundido é que ele agrada. Assim, o que gostaria de fazer voltar contra o homem tornar-se-ia em proveito do crédito da Doutrina. Fazei, pois, crer segundo isso que uma doutrina capaz de proporcionar em alguns anos milhões ao seu propagador seja uma utopia, uma ideia vazia! Tal resultado seria um verdadeiro milagre, porque não há exemplo de que uma teoria filosófica jamais haja sido uma fonte de fortuna.

Geralmente, como para as invenções, nela se consome o pouco que se tem, e ver-se-ia que é um pouco o caso em que me encontro, sabendo-se tudo o que me custa a obra à qual me devotei e à qual sacrifico, além disso, meu tempo, minhas vigílias, meu repouso e minha saúde, mas tenho por princípio guardar para mim o que faço e de não gritá-lo sobre os telhados [...].
Mas, diz-se, e vossas obras? Não vendeste caro os manuscritos? Isso é entrar aqui no domínio privado, onde não reconheço a ninguém o direito de entrar. Tenho sempre honrado os meus negócios, não importa ao preço de quais sacrifícios e de quais privações, não devo nada a ninguém, ao passo que muito me devem. Sem isto, teria mais do dobro do que me resta, o que faz com que, em lugar de subir a escada da fortuna, eu a desça. Não devo, pois, conta dos meus negócios a quem quer que seja, o que é bom constatar. Todavia, para contentar um pouco os curiosos, que não têm nada de melhor a fazer do que se misturar com aquilo que não lhes diz respeito, direi que, se tivesse vendido meus manuscritos, não teria feito senão usar do direito que todo trabalhador tem de vender o produto de seu trabalho. Porém, não vendi nenhum deles.

Os manuscritos se vendem caros quando são obras conhecidas, cujo sucesso é assegurado de antemão, mas em nenhuma parte encontra-se editores bastante complacentes para pagar, a preço de ouro, obras cujo produto é hipotético, pois não querem correr o risco do fracasso de venda. Impressão. Sob este aspecto, uma obra filosófica tem cem vezes menos valor do que certos romances unidos a certos nomes. Para dar uma ideia dos meus enormes benefícios, direi que a primeira edição de O livro dos espíritos, *que empreendi por minha conta e por meus riscos e perigos, não tendo encontrado editor que haja querido dela se encarregar, me trouxe líquido, todas as despesas feitas, todos os exemplares esgotados, tanto vendidos quanto dados, em torno de 500 francos, assim como posso isso justificar por peças autênticas. Não sei mais qual gênero de carro de luxo poder-se-ia conseguir com isto. Na impossibilidade em que me encontrei, não tendo ainda os milhões em questão, de fazer por mim mesmo as despesas de todas as minhas publicações, e sobretudo de me ocupar das relações necessárias para a venda, cedi, por um tempo, o direito de publicar, mediante um direito de autor calculado a tanto de centavos por exemplar vendido. De tal sorte que sou totalmente estranho ao detalhe da venda, e aos negócios que os intermediários possam fazer, sobre as remessas feitas pelos editores aos seus correspondentes, comercializações das quais declino a responsabilidade, estando obrigado, ao que me concerne, de ter conta aos editores, a um preço qualquer, de todos os exemplares que recebo deles, que os venda, que os dê ou que sejam sem valores. Quanto ao produto que possa me reverter sobre a venda de minhas obras, não tenho a me explicar nem sobre a quantia, nem sobre o emprego. Tenho certamente bem o direito de dele dispor como melhor me pareça. No entanto, não se sabe se esse produto não tem uma destinação determinada, da qual não pode ser desviada, mas é o que se saberá mais tarde porque se fantasiasse um dia a alguém escrever a minha história sobre dados semelhantes àqueles que são relatados acima, importaria que os fatos fossem restabelecidos em sua integridade. É por isso que deixarei memórias circunstanciadas sobre todas minhas relações e todos meus negócios, sobretudo no que concerne ao Espiritismo, a fim de poupar aos cronistas futuros os erros nos quais podem cair sobre a fé do ouvir-dizer dos levianos, das más línguas, e das pessoas interessadas em alterar a verdade, às quais deixo o prazer de bradar à sua vontade, a fim de que, mais tarde, sua má-fé seja mais evidente. Com isso me importaria muito pouco, por mim pessoalmente se o meu nome não se achasse doravante intimamente ligado à história do Espiritismo. Por minhas relações, naturalmente, possuo sobre esse assunto os documentos mais numerosos e mais autênticos que existem. Pude seguir a Doutrina em todos os seus desenvolvimentos, e observar todas as peripécias como disso previ as consequências [...]"* [R.E., 1862]

Também fez Kardec se irritar profundamente, e ir a público em diferentes oportunidades para questionar os pontos apresentados, o artigo de um antigo oficial reformado e publicado em Argel. No texto, o ex-participante da Assembleia Constituinte fazia cálculos e projeções para tentar chegar ao valor total da fortuna que, segundo ele, Allan Kardec tinha angariado com o Espiritismo. Chegou à soma de 250 mil francos por ano e a impressionantes 38 milhões de francos no total, em uma projeção que poderia, inclusive, chegar a bilhões em alguns anos, fortuna que seria maior do que a de muitos magnatas franceses.

No artigo, o autor ainda incita os espíritas a se voltarem contra o Codificador, buscando fazer crer que o Espiritismo era tão somente uma maneira achada por Kardec para ganhar dinheiro: "Pois bem, ingênuos Espíritas! O que pensais dessa especulação baseada sobre a vossa simplicidade? Acreditaram que do jogo das mesas girantes pudesse sair semelhantes tesouros, e que agora os propagadores da doutrina estão focados em fundar sociedades? Não se tem razão em dizer que a insensatez humana é uma mina inesgotável a explorar?".

Kardec passa, então, a rebater ponto a ponto os itens colocados pelo ex-oficial. Segundo ele, uma das fontes da imensa renda de Kardec seria a Sociedade de Paris, que supõe ter ao menos 3 mil membros.

[...] Haurindo suas informações em outra parte que não somente em sua imaginação, teria sabido que a Sociedade, alinhada oficialmente entre as sociedades científicas, não é nem uma confraria nem uma congregação, mas uma simples reunião de pessoas ocupando-se do estudo de uma ciência nova que ela aprofunda; que longe de visar ao número, que seria mais nocivo

do que útil aos seus trabalhos, o restringe antes que não aumente, pela dificuldade das admissões, que em lugar de 3 mil membros, jamais teve 100, que não remunera nenhum de seus funcionários, nem presidentes, vice-presidentes ou secretários, que não emprega nenhum médium pago, que sempre se levantou contra a exploração da faculdade mediúnica, que jamais recebeu um centavo das visitas que admite sempre em pequeno número, não abrindo jamais suas portas ao público, que fora dos membros pagantes nenhum Espírita é seu tributário, que os membros honorários não pagam nenhuma cotização, que não existe entre ela e as outras sociedades espíritas nenhuma afiliação, nem nenhuma solidariedade material, que o produto das cotizações jamais passa pelas mãos do presidente, que toda despesa, por mínima que seja, não pode ser feita sem a opinião da comissão, enfim, que seu orçamento de 1862 foi liquidado por um encaixe de 429 francos e 40 centavos.

Quanto aos 30 mil assinantes da Revista, nós os desejamos. "Caluniais, caluniais", disse um autor, "disso resta sempre alguma coisa". Sim, certamente, disso resta sempre alguma coisa que, cedo ou tarde, recai sobre o caluniador. Injúrias, calúnias, invenções manifestas, até o imiscuir-se na vida privada, tendo em vista lançar a desconsideração sobre um indivíduo e sobre uma classe numerosa de indivíduos, essa brochura, que ultrapassou de muito todas as críticas até hoje publicadas, tem todas as condições requeridas para ser deferida à justiça. Não o fizemos, apesar das solicitações que nos foram dirigidas a esse respeito, porque é uma boa fortuna para o Espiritismo, e não gostaríamos, ao preço de maiores injúrias ainda, que não tivesse sido publicada. Nossos adversários, não podendo fazer melhor para se desacreditarem a si mesmos, mostrando a que tristes expedientes se reduziram para nos atacar, e até que ponto o sucesso das ideias novas os apavora, perderam a cabeça. O efeito dessa brochura foi o de provocar uma imensa gargalhada em todos aqueles que nos conhecem [...]. [R.E., 1863]

Um questionamento recorrente envolvia ainda os direitos autorais das obras que Allan Kardec escrevera sobre o Espiritismo que, segundo alguns, fizeram dele um homem muito rico. Quando instado a responder sobre o assunto, o Codificador perdia a natural tranquilidade e se mostrava muito mais enérgico e incisivo, pois realmente era um assunto que o aborrecia deveras, dado o tempo que dispendia ao Espiritismo de maneira voluntária.

Essa mesma questão do direito autoral é colocada em discussão até os dias atuais, pois muitos espíritas acreditam que o autor de obras espíritas, em especial de obras mediúnicas ou inspiradas, deveria doar os direitos autorais, dado que não seria o seu único autor, invocando-se nesses casos a máxima: "dai de graça o que de graça recebeste".

Como é fácil perceber estudando-se as obras espíritas, Kardec aqui se referia ao emprego da mediunidade, especialmente ao aconselhamento espiritual que muitos buscam. Porém, em referência ao trabalho intelectual, Kardec tinha uma opinião distinta, como ele mesmo publicou na *Revista Espírita* de junho de 1865 em texto intitulado "Relatório da caixa do Espiritismo".

> *[...] Se bem que essas obras tenham tido um sucesso inesperado, basta ser o menos iniciado nos negócios de livraria para saber que não é com livros filosóficos que se amontoam milhões em cinco ou seis anos, quando não há sobre a venda senão um direito de autor de alguns centavos por exemplar. Mas que seja grande ou*

> *pequeno, esse produto sendo o fruto de meu trabalho, ninguém tem o direito de se imiscuir no emprego que dele faço. Mesmo que rendesse milhões, do momento que a compra dos livros, assim como a assinatura da Revista é facultativa e não imposta em nenhuma circunstância, nem mesmo para assistir às sessões da Sociedade, isto não concerne a ninguém. Comercialmente falando, estou na posição de todo homem que recolhe o fruto de seu trabalho; corro a chance de todo escritor que pode vencer, como pode fracassar.* [*R.E.*, 1865]

No mesmo texto, Kardec faz a ressalva de que, mesmo entendendo que não tem por que se justificar, busca dar explicações, pois as julga importantes à causa a que se devotou. Então, esclarece que, sempre que precisa comprar suas obras do seu editor, paga por elas o mesmo que um livreiro, e que o faz constantemente para distribuir os livros e divulgar assim o Espiritismo.

Quanto ao que resta após essas despesas, o Codificador esclarece que em nada mudou seu estilo de vida desde que lançou suas obras e que sempre publicou todas as despesas e recebimentos da Sociedade na *Revista Espírita* para que não restasse dúvida sobre o seu uso, especialmente quando fazia viagens com recursos próprios para auxiliar na divulgação do Espiritismo.

Muitas pessoas, sobretudo na província, pensaram que as despesas dessas viagens oneravam a Sociedade de Paris. Tivemos que desfazer esse erro quando se ofereceu a ocasião. Aos que ainda o pudessem partilhar, recordaremos o que afirmamos em outra circunstância que a Sociedade se limita a prover às suas despesas correntes e não possui reserva. Para que pudesse acumular capital seria preciso que tivesse em mira o número, e isto é o que ela não faz, nem quer fazer, porque o seu fim não é a especulação e o número nada acrescenta à importância dos trabalhos. Sua influência é toda moral e isso está no caráter de suas reuniões, que dão aos estranhos a ideia de uma assembleia grave e séria. Aí está o seu mais poderoso meio de propaganda. Ela, pois, não poderia prover tal despesa. Os gastos de viagem, como todos os que as nossas relações reclamam para o Espiritismo, são tirados dos nossos recursos pessoais e das nossas economias, aumentadas com o produto das nossas Obras, sem o qual nos seria impossível prover todos os encargos, que são para nós a consequência da obra que empreendemos. Isto é dito sem vaidade e unicamente para render homenagem à verdade, e para edificação daqueles aos quais se afigura que nós capitalizamos. [*R.E.*, 1862]

Um caso espinhoso para o Espiritismo

O verdadeiro espírita não é o que crê nas manifestações, mas aquele que aproveita do ensino dado pelos Espíritos. De nada adianta acreditar, se a crença não o levar a dar um passo à frente no caminho do progresso e não o tornar melhor para com o seu próximo.

Allan Kardec

Em toda grande obra há aquele que cai, especialmente aqueles que se deixam levar pelo orgulho. Na época de Kardec, não foi diferente. Muitos cumpriram a missão que abraçaram, mas outros acabaram vitimados pela ganância e, principalmente, pelo orgulho. Um caso que ganhou grande repercussão na época, tendo sido objeto de estudo e de artigos publicados por Allan Kardec na *Revista Espírita*, em

1865, foi o do médium Jean Hillaire, de Sonnac, descrito por Allan Kardec como "um jovem, casado e pai de família, trabalhador simples, quase iletrado".

Dotado de uma notável capacidade mediúnica, comparável segundo Kardec à do grande Dunglas Home, ele se tornou rapidamente uma celebridade local – e essa condição, aliada aos elogios exagerados que recebia, exerceu má influência sobre ele.

Hillaire escreveu diversas cartas a Kardec, insistindo em ir a Paris para conhecer pessoalmente o Codificador do Espiritismo. Seus pedidos foram reiteradamente negados por Kardec, que pressentia, pelo teor das cartas, que um encontro entre eles não seria bom para o próprio médium. A essa impressão somavam-se os conselhos dos espíritos, que pediam que agisse com circunspecção nesse caso. Kardec aconselhou Hillaire a permanecer na sua cidade natal, realizando o trabalho de divulgação do Espiritismo.

Porém, o jovem o ignorou. Kardec revela da seguinte maneira o que se sucedeu ao médium:

Por muita presunção de um lado, e muita fraqueza de outro, quebrou a sua missão no momento em que ela poderia adquirir o maior brilho. Cedendo a deploráveis arrastamentos, e talvez, somos levados a crê-lo, a pérfidas insinuações conduzidas com jeito, ele cometeu uma falta, em consequência da qual deixou o país, e da qual, mais tarde, teve que prestar conta diante da justiça. [*R.E.*, 1865]

Após cometer o ato criminoso, o médium fugiu da França. O lesado, que o tinha coberto com seu patrocínio, escreveu a Kardec depois da fuga do culpado para relatar o ocorrido e solicitar auxílio, a fim de deter o médium fugitivo, dizendo: "[...] É preciso tirar todos os recursos dele para forçá-lo a entrar na França, e aí poderemos castigá-lo pela justiça dos homens, à espera de que a divina o castigue, porque fez um mal muito grande ao Espiritismo [...]".

Ao receber a carta, Kardec, sem desconfiar de que esta seria incluída como parte do processo, respondeu:

Senhor, no retorno de uma longa viagem que acabo de fazer, encontrei a carta que me escreveu concernente a Hillaire. Deploro, tanto quanto quem quer que seja, esse triste assunto, do qual o Espiritismo, no entanto, não pode receber nenhum prejuízo, porque não poderia ser responsável pelos atos daqueles que o compreendem mal. Quanto a vós, o mais lesado nessa circunstância, compreendo a vossa indignação, e o primeiro momento de desatino que deveu vos agitar, mas espero que a reflexão tenha levado mais calma ao vosso espírito. Se sois realmente Espírita, deve saber que devemos aceitar com resignação todas as provas que apraza a Deus nos enviar, e que elas são expiações que merecemos por nossas faltas passadas. Não é rogando a Deus por vingança daqueles de quem temos a lamentar, que se adquire o mérito das provas que nos são enviadas. Bem ao contrário, perde-se delas o fruto, e se as atrai maiores. Não é uma contradição de vossa parte dizer que pediste ao Deus de misericórdia fazer com que os culpados sejam detidos, a fim de serem entregues à justiça dos homens? [...] Sereis perdoados como tiverdes perdoado aos outros. Uma tal linguagem não é nem cristã nem espírita, porque o Espiritismo, a exemplo do Cristo, nos ensina a indulgência e o perdão das ofensas. É uma bela ocasião para mostrar a sua imensa magnanimidade, provando que estais acima das misérias humanas. Desejo, por vós, que não a deixeis escapar. Pensais que esse negócio fará mal ao Espiritismo. Repito que não sofrerá com ele, apesar do ardor de seus adversários em explorar essa circunstância em seu proveito. Se ela devesse lhe fazer mal, isso não seria senão um efeito local e momentâneo, e nisso teríeis vossa parte de responsabilidade, pela pressa que pusestes em divulgá-la. Tanto pela caridade quanto pelo interesse que dizeis ter pela Doutrina, deve ter feito tudo o que estava em vosso poder para evitar o escândalo, ao passo que, pela ressonância que lhe haveis dado, forneceste armas aos nossos inimigos. Os Espíritas sinceros vos teriam agradecido pela vossa moderação, e Deus vos teria levado em conta esse bom sentimento. Lamento profundamente que pensou que eu serviria, no que quer que seja, aos vossos desejos vingativos, tomando providências para entregar os culpados à justiça. Vejo que se enganou singularmente sobre o meu papel, meu caráter e minha inteligência sobre os verdadeiros interesses do Espiritismo. Se sois realmente, como o dizeis, meu irmão em Deus, implorai a sua clemência e não a sua cólera, porque aquele que chama essa cólera sobre outro corre o risco de fazê-la cair sobre si mesmo. Tenho a honra de vos saudar cordialmente, com espe-

rança de vos ver retornar às ideias mais dignas de um Espírita sincero. [*R.E.*, 1865]

O caso foi a julgamento e o tribunal decidiu pela culpa do réu, condenando-o a um ano de prisão e ao pagamento das custas do processo. Porém, o tribunal declinou da sua competência no que toca à apreciação de todos os outros fatos mediúnicos.

A decisão foi um balde de água fria naqueles que esperavam ver todo o Espiritismo condenado por conta dos atos praticados por um de seus simpatizantes e médium de efeitos físicos. Porém, mais do que se declarar incapaz de julgar fenômenos mediúnicos, o juiz ainda recomendou a todos o respeito pela crença religiosa de cada um. Durante o julgamento, as vinte testemunhas arroladas foram unânimes quanto à veracidade dos fenômenos e nenhuma revelou a menor suspeita. Assim, o tribunal se declarou incompetente para avaliar os fenômenos mediúnicos, avaliando somente o comportamento do médium.

Sobre o julgamento, Kardec afirma:

O Espiritismo não só saiu são e salvo dessa prova, saiu com as honras da guerra. O julgamento, é ver-

dade, não proclamou a realidade das manifestações de Hillaire, mas as colocou fora de causa por sua declaração de incompetência. Por isso mesmo, não as declarou fraudulentas. Quanto à doutrina, obteve ali um estrondoso sufrágio. Para nós, é o ponto essencial, porque o Espiritismo está menos nos fenômenos materiais do que em suas consequências morais. Pouco nos importa que se neguem os fatos que são a cada dia constatados sobre todos os pontos da Terra. O tempo não está longe em que todo o mundo será forçado a render à evidência. O principal é que a doutrina que dele decorre seja reconhecida digna do Evangelho sobre o qual se apoia [...].

O tempo e novas existências acabarão o que foi começado. Felizes aqueles que se pouparem novas provas! Hillaire pertence a essa classe que o Espiritismo não fez, de alguma sorte, senão aflorar, e foi por isso que falhou. A Providência o havia dotado de uma notável faculdade, com a ajuda da qual ele fez muito bem. Poderia com ela fazer muito mais se não tivesse rompido sua missão por fraqueza. Não podemos nem o condenar nem o absolver. Somente a Deus pertence julgá-lo por não ter realizado a sua tarefa até o fim. Desejo que a expiação que sofre e um sério retorno sobre si mesmo mereçam a sua clemência! Irmãos, estendamos-lhe mão segura e oremos por ele. [*R.E.*, 1865]

O PROCESSO DOS ESPÍRITOS

A FÉ ROBUSTA TRAZ A PERSEVERANÇA, A ENERGIA E OS RECURSOS QUE FAZEM VENCER OS OBSTÁCULOS, TANTO NAS PEQUENAS COMO NAS GRANDES COISAS. A FÉ QUE É VACILANTE TRAZ A INCERTEZA, A HESITAÇÃO, DAS QUAIS SE NUTREM OS OBSTÁCULOS QUE SE QUER VENCER, ELA NÃO PROCURA OS MEIOS DE VENCER, PORQUE NÃO CRÊ PODER VENCER.

ALLAN KARDEC

Mesmo com a morte de Allan Kardec, a perseguição ao Espiritismo só aumentava. Autoridades, veículos de comunicação, religiosos, todos pareciam ter eleito o Espiritismo inimigo número um e buscavam, em vão, comprovar que se tratava de um engodo cuidadosamente preparado por

Allan Kardec para ludibriar e enganar, rendendo-lhe em troca grandes proventos materiais.

Porém, nada chegou tão longe quanto aquele que ficou conhecido como "Procès des Spirites" - em português, "Processo dos espíritos" –, um processo judicial que teve grande repercussão e foi instaurado em 16 de junho de 1875, tendo como réus o então diretor da *Revista Espírita*, Pierre Gaetan Leymarie, que havia sucedido Allan Kardec na direção do periódico, Alfred Henri Firman, médium de feitos físicos, e Édouard Buguet, fotógrafo e médium.

No processo, os três foram acusados de publicar diversas fotografias fraudulentas de espíritos desencarnados na *Revista Espírita*, em 1874, o que teria ocorrido exatos cinco anos após o desencarne de Allan Kardec.

Nas fotografias, pessoas encarnadas faziam pose e, ao fundo, podia-se ver a imagem ou o vulto de um desencarnado que lhe fora próximo em vida. Não escapou das fotos nem Amélie-Gabrielle Boudet, viúva de Allan Kardec, que aparece tendo ao fundo a imagem do espírito do Codificador.

Nessa época, era bastante comum nos Estados Unidos a produção de fotografias em que, junto a encarnados, via-se a presença de espíritos, capturados pela lente da câmera mediante processo de evocação. Na Europa, em especial na Inglaterra, a prática também se alastrava. Porém, o comércio envolvendo essas fotografias começou a se ampliar e as fotos impressas passaram a ser vendidas não só para veículos de mídia, mas também para pessoas que desejassem ter a "foto do espírito". Tratava-se de uma prática de comércio de aparições que fora amplamente combatida por Allan Kardec enquanto encarnado, como no caso dos célebres irmãos Davenport, que cobravam por suas aparições e, por isso, não tiveram permissão de Allan Kardec para divulgar os seus prodígios na *Revista Espírita*.

Como os assinantes da *Revista Espírita* começaram a pedir que o periódico publicasse também essas fotos, Leymarie passou inicialmente a trazer algumas fotos dos Estados Unidos para presentear assinantes, mas, em decorrência do custo (que julgava elevado), resolveu reproduzi-las na França juntamente a um fotógrafo especialista, tendo sempre o cuidado de escrever no verso "Reproduction de photographies américaines", para apontar que se tratava apenas de uma cópia das fotografias originais.

Leymarie, ao receber informações sobre o fotógrafo Édouard Buguet – que supostamente fazia esse tipo de registros usando sua mediunidade –, resolveu investigar o assunto e tomar contato com o "médium fotógrafo". Após suas pesquisas, e convencido da autenticidade do fenômeno, resolveu publicar as fotos na *Revista Espírita*, em janeiro de 1874, juntamente a um extenso artigo mostrando o método de trabalho do fotógrafo em seu estúdio e dando testemunho de que o fenômeno era autêntico – não sem antes ter tido o cuidado de consultar diversos especialistas sobre o assunto que acompanharam os experimentos.

Porém, de nada adiantaram as justificativas. Após denúncia do Ministério Público, um processo foi aberto e conduzido na sequência a um julgamento. Na audiência, o juiz Millet, que já tinha se decidido pela culpabilidade de Leymarie antes mesmo de a audiência começar, promoveu uma verdadeira caça às bruxas contra o Espiritismo, sendo ouvidas no total 55 testemunhas, incluindo a própria Amélie, esposa de Kardec, que, em depoimento, deu a seguinte declaração sobre a fotografia em que aparecia com a imagem do seu marido desencarnado ao fundo:

Declaro que terça-feira, 12 de maio de 1874, fui à casa do senhor Buguet em companhia da senhora Bosc e do senhor Leymarie, e que a ninguém revelei quem desejava evocar. O senhor Buguet, a despeito de estar doente, concordou em comparecer, apoiado em uma bengala, à sala das tomadas fotográficas. Estendido sobre uma cadeira, ele sofria atrozmente, mas ajudou nos preparativos que foram feitos pelo senhor Leymarie e pelo operador. Obtive, na mesma chapa, duas provas, sobre as quais atrás de mim, meu bem-amado companheiro Allan Kardec era visto nas seguintes posições: na primeira prova ele sustenta uma coroa sobre minha cabeça. Na segunda ele mostra um quadro branco, com alguns milímetros de largura, no qual estão escritas, com letras somente legíveis sob uma lente poderosa, ou microscópio, as seguintes palavras: "Obrigado, querida esposa. Obrigado, Leymarie. Coragem Buguet". Infelizmente o senhor Buguet prolongou por alguns segundos a exposição e o rosto de meu marido não aparece tão nítido como desejava. Agradeçamos a Deus este consolo de poder obter os traços de uma pessoa amada e de obter a escrita direta.

Porém, o juiz queria realmente constranger a todos e, em especial, a viúva de Allan Kardec. Por isso, colocou-se a fazer diversas perguntas, muitas delas de maneira bastante desrespeitosa, em especial por Amélie já ser uma senhora de mais de 80 anos na época. Primeiramente, o juiz a acusa de falso testemunho, pois, segundo ele, a letra do texto que aparecia juntamente com a foto não era de Allan Kardec, como afirmara Amélie, mas, sim, da secretária de Buguet, de nome Ménessier. Teria sido ela a responsável por escrever o texto, conforme havia admitido no interrogatório.

– A letra é do meu marido – insiste Amélie.

– Será que diante dessa declaração, madame ainda acreditava que Buguet fosse médium?

– Como não? Há duzentas cartas vindas do interior afirmando tais fatos. Se fosse apenas uma pessoa, o senhor poderia ter razão, mas quando há centenas delas que afirmam o mesmo fato a questão é outra. A senhorita Ménessier talvez não esteja dizendo a verdade.

– Quando o senhor Rivail tomou o nome de Allan Kardec e quando publicou O livro dos espíritos? *Onde foi que ele arranjou esse nome? No* Grand Grimoire *(livro de feitiços e magia negra)?*

– Não sei o que o senhor deseja com essas perguntas.

– Conhecemos as origens dos livros do seu marido. Ele os retirou principalmente de um Grand Grimoire *de 1522, de um livro intitulado* Alberti *etc.*

– Todos os livros do meu marido foram criados por ele, com a ajuda dos médiuns e das evocações. Nada sei

desses livros que o senhor acaba de citar. Acho que não se deveria brincar com essas coisas. Não é próprio rir-se de coisas semelhantes.

– Não gostamos de pessoas que tomam nomes que não lhes pertencem, de escritores que pilham obras antigas, que enganam o público.

– Todos os literatos adotam pseudônimos. Meu marido jamais pilhou coisa alguma.

– Ele é um compilador, não um literato. É um homem que praticava a magia negra ou branca. Vá sentar-se.

Assim terminou de maneira melancólica o depoimento vexatório ao qual Amélie foi submetida durante o julgamento, que prosseguiu sempre com a mesma parcialidade contra o Espiritismo. Mesmo com o depoimento de dezenas de testemunhas, que afirmaram ter reconhecido espíritos de mortos nas fotografias, apesar de o médium fotógrafo ter confessado que somente 2/3 das fotografias eram verídicas, pois as demais foram forjadas para que ele não perdesse o valor que receberia com sua venda, e a despeito de o senhor Leymaire não saber disso e acreditar que todas as fotografias eram verdadeiras, o juiz proferiu a sentença condenatória de 1 ano de prisão e pagamento de 500 francos de multa para

Leymarie e para Buguet. O jovem Firman foi inocentado por servir apenas de médium nas sessões - portanto, não teria como participar ativamente do engodo.

Condenado à prisão, Leymarie cumpriu a sentença e recebeu solidariedade de adeptos do Espiritismo de todos os cantos do planeta. Sua principal defensora foi sua esposa, Marina Leymarie, que escreveu a obra *Procès des Spirites*, na qual relata todo o processo de investigação e condenação do seu marido. Ela o sucedeu na direção da *Revista Espírita* e da livraria após o seu desencarne, em 10 de abril de 1901.

Epílogo

Não há fé inabalável senão aquela que pode encarar a razão face a face, em todas as épocas da humanidade.

Allan Kardec

17 de janeiro de 1857. Allan Kardec, em uma sessão privada na casa do senhor Baudin, recebe a seguinte mensagem:

> *[...] Nessa existência não verás mais do que a aurora do êxito da tua obra. Terás que voltar, reencarnado em outro corpo, para completar o que houveres começado e, então, dada te será a satisfação de ver em plena frutificação a semente que houveres espalhado pela Terra.* [O.P., 1890]

Após o desencarne de Allan Kardec, houve apenas um encarnado a quem se pode atribuir o título de continuador de sua obra. Reencarnou no Brasil, e em 92 anos de vida foi o maior divulgador da doutrina espírita pós-Kardec, fazendo do Brasil o país com o maior número de adeptos do Espiritismo no mundo. Esse encarnado atendia pelo nome Francisco Cândido Xavier. Ele nunca admitiu em público ser o continuador da obra de Kardec – e, mesmo que o fosse, jamais poderia admiti-lo, sob o risco de colocar em perigo a sua missão.

APÊNDICE I: RESUMO DA DOUTRINA ESPÍRITA

Qual seria o segredo da religião apresentada ao mundo pelo professor francês Hippolyte Léon Denizard Rivail, sob o pseudônimo Allan Kardec, em 18 de abril de 1857, quando lançou *O livro dos espíritos*? E por que o número de adeptos do Espiritismo não para de crescer?

Descrito por Kardec como o Cristianismo redivivo, o Espiritismo resgata em sua prática a essência simples do Cristianismo, aquela dos tempos em que os apóstolos de Jesus deram sequência à divulgação e à exemplificação dos ensinamentos do Mestre após sua morte, pregando a simplicidade como valor fundamental a ser preservado, assim como ocorre nos centros espíritas.

Por sua origem, na essência do Espiritismo reside a prática da caridade como primeira grande premissa, juntamente à busca do autoconhecimento e à evolução espiritual.

Ao trazer explicações racionais para aspectos do cotidiano de cada um, o Espiritismo passa a ter um papel consolador na vida de seus adeptos, o que explica em parte por que a maioria dos espíritas busca um estilo de vida mais tranquilo e sereno.

Outro ponto fundamental para o sucesso do Espiritismo é a preocupação de apresentar explicações racionais para nossa existência, respondendo a questões como "de onde vim?", "para onde vou?" e "por que estou aqui?".

A RELIGIÃO E O CENTRO ESPÍRITA

O Espiritismo é baseado em três pontos fundamentais. O primeiro deles é a ciência, mediante a qual se busca comprovação para todos os fenômenos espirituais, incluindo a existência do mundo imaterial ou espiritual. O segundo deles é a filosofia, pois a doutrina apresenta e discute questões filosóficas que auxiliam o praticante a repensar seu modo de vida e seus valores. O terceiro ponto é a religião, que tem o papel de reconectar o homem a Deus, fazendo com que os praticantes se voltem ao Criador.

Segundo o Espiritismo, embora estejamos aqui na Terra, a vida real é a do espírito. O mundo material teria um papel secundário, servindo somente para ajudar na evolução do espírito, premissa básica da visão espírita.

O Espiritismo não tem dogmas, ou seja, verdades absolutas. Tudo que foi apresentado nos livros de Kardec, também conhecidos como Codificação, tem que ter uma explicação racional, mesmo nos termos do conhecimento atual. Caso contrário, deve ser questionado. Em sua prática, não há nenhum tipo de ritual, como ajoelhar-se ou fazer o sinal da cruz para rezar, tampouco uso de velas, incensos, banhos, mandingas etc. em seus trabalhos. O ambiente da casa espírita deve ser simples, sem grandes adornos, sem imagem alguma. Não há culto a santos.

Diferentemente da maioria das religiões, não há um líder geral, por exemplo, o papa católico. Os centros espíritas não têm donos. Desde o início, Kardec fez questão de deixar muito claro que a obra era dos espíritos, não dele nem de nenhum outro homem. Ele sempre destacou que, se a religião fosse obra de homens, ela poderia falhar, pois os homens são falíveis.

Os diferentes centros espíritas são normalmente filiados a uma Federação Espírita ou a Uniões de Sociedades Espíritas, visando à padronização dos trabalhos. Entre as atividades exercidas em um centro espírita, estão a aplicação de passes magnéticos e espirituais (imposição das mãos feita pelos trabalhadores visando transmitir energias positivas ao frequentador que está tomando o passe), palestras espirituais (costumeiramente sobre temas do evangelho e vida espiritual), trabalhos mediúnicos (durante os quais os espíritos se manifestam), trabalhos de desobsessão (uma variação do trabalho mediúnico, em que os espíritos que se comunicam estão em estado de sofrimento e precisam ser esclarecidos e auxiliados), trabalhos de vibração (nos quais médiuns e frequentadores mentalizam e enviam energias positivas para pessoas ou espíritos necessitados), entre outras.

Ao chegar a um centro espírita pela primeira vez, o frequentador é normalmente direcionado a um grupo de orientação e encaminhamento, no qual terá oportunidade de falar sobre os motivos de estar procurando a casa espírita e sobre seus desejos e expectativas, sendo assim encaminhado ao trabalho mais adequado às suas necessidades.

Na maioria das casas, ministram-se cursos como, por exemplo, a Escola de Educação Mediúnica. Os cursos incluem introdução ao evangelho de Jesus e explanações sobre a mediunidade, e seu objetivo é fornecer a base teórica para que o futuro médium possa se preparar adequadamente para assumir um trabalho na casa. Para os mais jovens, são oferecidos grupos de mocidade, que lhes dão a oportunidade de discutir em conjunto temas relacionados ao Espiritismo, ao evangelho e ao seu cotidiano. Além disso, a maioria dos centros espíritas desenvolve um projeto assistencial, para praticar a caridade ensinada no centro por meio do atendimento fraterno a pessoas carentes e em situação de dificuldade.

A maioria das casas espíritas é mantida somente com doações de seus frequentadores ou por meio de atividades como feiras de artesanato, almoço fraterno, bazar e venda de livros espíritas. Não se cobra nenhum valor dos frequentadores da casa. Não há dízimo. Da mesma forma, é proibido a qualquer médium cobrar por atendimento, em respeito à máxima "dai de graça o que de graça recebeste".

Reencarnação

O Espiritismo traz como base a ideia da continuidade da vida após a morte, tipificada pelo conceito de reencarnação. De acordo com o Espiritismo, os espíritos desencarnados voltarão à vida, não havendo o conceito de "morreu, acabou" ou "dia do juízo final".

Algumas religiões cristãs, como o Catolicismo, não acreditam em reencarnação, e sim na ressurreição, ou seja, na possibilidade de se voltar à vida terrena com o mesmo corpo – diferentemente da crença espírita, que preconiza que tal volta se daria em outro corpo. Porém, números estatísticos mostram que, dos conceitos espíritas, a reencarnação é o mais facilmente aceito, e até pessoas de outras religiões usam a palavra reencarnação. O último censo do IBGE mostra, por exemplo, que 44% dos católicos acreditam em reencarnação, o que seria contrário ao próprio dogma da ressurreição aceito pelo Catolicismo.

Em linhas gerais, a reencarnação é a oportunidade que cada espírito tem de passar por diferentes existências no planeta. O espírito é sempre o mesmo, mas o corpo muda de uma existência para a outra, e o espírito pode habitar um corpo de homem ou de mulher.

O número de encarnações em cada sexo depende da necessidade de cada espírito. Experiências no sexo feminino podem ajudar no desenvolvimento da emoção, da sensibilidade, do instinto de conservação, da delicadeza de gestos, do contato social, entre outras características. Só quem já passou pela prova da maternidade, por exemplo, pode testemunhar o quanto ela ajuda na compreensão do amor fraterno e no desenvolvimento do carinho para com o filho.

Em contrapartida, experiências no sexo masculino ajudam a acentuar a racionalidade, a força, entre outros traços.

Assim, o sexo escolhido pelo espírito será aquele que mais facilitar a sua evolução; em geral, ele tende a reencarnar mais em um sexo do que em outro.

O número de reencarnações pela qual o espírito terá de passar e o intervalo entre elas dependerá basicamente da velocidade em que ele evoluir. Quanto mais lenta for sua evolução, maior o número de reencarnações, buscando auxiliá-lo por meio de experiências diferentes.

Já o local em que um espírito vai reencarnar é determinado pelo seu grau de evolução e de afinidade com os que estão próximos.

A cada existência encarnada, o espírito passa por diferentes experiências, novos aprendizados e provações, para que possa aprender, algumas vezes, com os próprios erros. Para facilitar o aprendizado, no momento de reencarnar o espírito se esquece de tudo o que viveu em existências anteriores, de forma a ter a oportunidade de um recomeço sem os traumas do passado, ainda que certas reminiscências e tendências fiquem registradas em algum ponto da memória.

Imagine descobrir que seu marido ou sua esposa o fez sofrer em outra vida, ou, pior ainda, o assassinou. Será que você conseguiria continuar vivendo com essa pessoa? Imagine que em outra vida você fez muito mal a algumas pessoas. Conseguiria viver com esse sentimento de culpa?

Mesmo no plano espiritual, a lembrança de vidas passadas é feita com rígido controle, objetivando não trazer à tona lembranças anteriores que possam prejudicar o equilíbrio psíquico do espírito. Além disso, quando é consentido que ele se recorde do passado, essa lembrança fica, em geral, limitada às últimas encarnações ou aos momentos-chave de algumas delas, visando, da mesma maneira, a não fazer com que lembranças muito desagradáveis possam prejudicá-lo.

Alguns espíritos podem escolher as provas pelas quais vão passar enquanto estão encarnados. A escolha dessas provas sempre tem como critério propiciar o seu desenvolvimento. Assim, por exemplo, um espírito que em outra vida fez mau uso do dinheiro, cedendo a todo tipo de paixão, pode escolher, nesta existência, vir privado de recursos materiais, para aprender a valorizar coisas mais elevadas. Ou então, alguém que veio com uma aparência muito bonita e deixou-se levar pelo orgulho pode escolher vir com uma aparência considerada feia, para não sucumbir de novo.

Porém, em muitos casos se processa a reencarnação compulsória, na qual o espírito não tem ainda esclarecimento suficiente para escolher as provas pelas quais deve passar, e então é obrigado a seguir o planejamento feito pela espiritualidade. Nesses casos, muitas vezes nem o desejo de reencarnar está presente no espírito.

Referente à escolha da família em que o espírito vai reencarnar, esta nem sempre se dá por meio de afinidade entre os futuros familiares. Muitas vezes o laço entre eles é somente corporal, e os espíritos são colocados na mesma família para que possam superar desavenças do passado e evoluir juntos.

Durante a gestação, o espírito já passa a conviver com a mãe para se ambientar a ela e novamente ao planeta, guardando consigo algumas impressões desse período. Assim, o amor dos pais nesse momento o ajuda a ganhar ânimo. Já as brigas entre os pais podem gerar traumas e medos no espírito em transição, que o acompanharão enquanto encarnado.

O Espiritismo ensina que a reencarnação é o instrumento pedagógico do qual Deus se utiliza para proporcionar a oportunidade da evolução espiritual rumo à perfeição possível.

Portanto, permitir, por meio da paternidade ou da maternidade, o retorno de um espírito que necessita reencarnar para evoluir é um ato de amor e caridade. Porém, o casal tem o direito de fazer a programação familiar e definir quantos filhos terá, levando em consideração fatores inclusive de ordem econômica. A questão é complexa e deve ser analisada caso a caso. Havendo razões realmente justas, pode o homem limitar sua prole, principalmente se o casal já possui filhos e entender que não mais convém ter outros. Assim, o uso de anticoncepcional e outros métodos contraceptivos não é proibido pelo Espiritismo, exceto métodos considerados abortivos, como a pílula do dia seguinte.

Mesmo afirmando que quando não há reencarnação compulsória o espírito escolhe as provas pelas quais deve passar, o Espiritismo mostra que muitas coisas nesse planejamento inicial podem ser mudadas de acordo com a necessidade prática do espírito passar por aquela prova, especialmente de acordo com seu livre-arbítrio. A única coisa que não pode ser alterada, a não ser que a Espiritualidade Maior entenda que aquele espírito está em nova missão pela coletividade, é a data do desencarne. O Espiritismo ensina que a vida é o maior dom que alguém pode receber, e que tirar a própria vida é um ato contra o Criador. Quando um espírito encarna no planeta, já vem sabendo de antemão quanto tempo deve durar seu corpo físico, e já sabe quando desencarnará se cuidar adequadamente desse corpo. Não existe fatalidade, segundo o Espiritismo. Como diz o ditado popular, ninguém morre de véspera. Se morreu, é porque a hora era chegada, e se sobreviveu, é porque ainda necessitava passar por algumas experiências.

Assim, longe de colocar os seres como simples marionetes, Deus deu o livre-arbítrio para que cada um possa escolher o caminho que deseja trilhar durante sua existência. O livre-arbítrio permite que cada um seja senhor do próprio destino. Não existe destino que não possa ser alterado. Qualquer previsão para o futuro pode ser enxergada como uma tendência ou algo pelo qual a pessoa irá passar se não mudar seu comportamento atual, mas não como algo que está escrito e não tem como ser alterado. Sempre é possível escolher um caminho diferente e, assim, mudar de alguma maneira seu destino. Como ensinado pelo Espírito Emmanuel, o mentor de Chico Xavier: "Embora ninguém possa voltar atrás e fazer um novo começo, todo mundo pode começar agora a fazer um novo final".

Deus e Jesus Cristo

Deus é qualificado pelo Espiritismo como eterno, imutável, imaterial, único, todo-poderoso, soberanamente justo e bom, tendo criado todo o universo e os seres materiais e espirituais, e escolhido a espécie humana para a reencarnação dos espíritos que atingiram certo grau de desenvolvimento.

O Espiritismo não traz grandes revelações sobre Deus, afirmando que ainda não temos condições de compreendê-lo, por causa do nosso pequeno grau de evolução. As únicas "informações" sobre Deus são as trazidas nas obras básicas de Allan Kardec, que vão ao encontro das citadas por Jesus nos evangelhos, que descrevem Deus como um pai amoroso, único, todo-poderoso, que sempre existiu e que sempre vai existir, e que está sempre observando e auxiliando seus filhos. Essa visão é diferente da apresentada pelo Antigo Testamento e seguida por algumas religiões atuais, em que Deus pune os filhos que não praticarem os preceitos e mandamentos da religião.

Referente a Jesus Cristo, o Espiritismo o descreve como o Espírito mais evoluído a encarnar no planeta, que veio em missão em prol da humanidade. Jesus é considerado pelo Espiritismo como o Governador do planeta Terra e o grande exemplo a ser seguido.

Os espíritos

Os espíritos são criados por Deus a todo o tempo e são parte de sua obra. Quando encarnados, são chamados de alma, uma distinção do termo "espírito". Feito esse esclarecimento, percebemos que o termo "alma penada" nada significa, ficando circunscrito somente à imaginação de quem o criou originalmente. Os espíritos são criados simples e ignorantes, isto é, sem conhecimento do bem e do mal. Têm aptidão tanto para o bem quanto para o mal, e pelo livre-arbítrio terão oportunidade de escolher o caminho a seguir.

Encarnados, são formados pelo corpo material, pelo espírito e por uma interface que dá forma ao espírito chamada de perispírito, um elemento presente tanto quando o espírito está encarnado como quando está desencarnado.

O perispírito é que dá forma e aparência ao espírito, neste ou no outro plano. Quando desencarnados, os espíritos mais evoluídos podem tomar a aparência que mais lhes aprouver, lembrando que, para eles, ela não tem importância se comparada à essência. Já espíritos pouco evoluídos trazem, em geral, marcas no perispírito que mostram as vibrações negativas que possuem e representam a maldade que praticaram enquanto encarnados. Eles se libertarão dessas marcas somente no momento em que evoluírem, deixando de lado suas inclinações para o mal.

Segundo o Espiritismo, a constituição física dos habitantes difere de mundo para mundo, embora a forma corpórea seja a mesma da do homem terrestre, com embelezamento e perfeição menores ou maiores, segundo a condição moral geral de cada planeta. Vale ressaltar que mesmo os mundos afastados do Sol têm outras fontes de luz e calor adequadas à constituição dos respectivos habitantes.

Assim como as pessoas são diferentes, os espíritos também o são. Todos eles pertencem a uma classe diferente, sendo divididos de forma ampla em três ordens.

Os mais evoluídos são os espíritos puros. Esses já não recebem nenhuma influência da matéria e, comparativamente aos espíritos de outras ordens, são identificados pela superioridade moral e intelectual.

A segunda ordem é formada por espíritos bons, que já possuem o desejo de praticar o bem a todos indistintamente e a predominância de valores espirituais, mas ainda não alcançaram o grau de espírito puro.

Já a terceira ordem é formada pela maioria dos encarnados no planeta. Nesses espíritos ainda predominam a materialidade, a ignorância, o orgulho, o egoísmo e todas as paixões decorrentes dessas imperfeições. Todos os espíritos que se encontram ainda na condição de inferioridade podem evoluir até chegar ao estágio de espírito puro.

Os espíritos só evoluem, nunca regridem, ficando, algumas vezes, estacionados por um tempo, até retomarem o caminho do bem. Assim, constatamos que todos nós iremos evoluir, alguns mais rapidamente do que outros. Ninguém escapa da Lei da Evolução. Mesmo os que praticam os crimes mais bárbaros, um dia irão evoluir.

MUNDOS HABITADOS PELOS ESPÍRITOS

Os mundos em que um espírito pode reencarnar são classificados da seguinte maneira pelo Espiritismo:

- **MUNDOS PRIMITIVOS:** locais das primeiras encarnações da alma. Neles, os espíritos ainda são inferiores aos que habitam o nosso planeta e apresentam forte instinto animal.
- **MUNDOS DE EXPIAÇÃO E PROVAS:** são mundos nos quais o mal ainda domina, mesmo havendo espíritos bons ali encarnados. Esse é o estágio atual do planeta Terra.
- **MUNDOS DE REGENERAÇÃO:** neles, as almas ainda têm o que expiar, mas já estão totalmente comprometidas com a sua evolução e o bem já impera.

- **Mundos ditosos:** neles, há predomínio total do bem. Os espíritos já estão desapegados de qualquer tipo de paixão.
- **Mundos celestes ou divinos:** só vivem nesses mundos os espíritos evoluídos. Neles, reina exclusivamente o bem.

Segundo o Espiritismo, a Terra é um planeta ainda de provas e expiações, onde convivem, nem sempre em harmonia, espíritos bons e espíritos maus, que juntos têm a oportunidade de aprender com essa convivência.

Porém, o planeta está passando por uma transição e, em breve, será classificado como de regeneração; nesse momento, só encarnarão aqui espíritos que estiverem em uma condição de evolução melhor, adequada e sintonizada com a nova realidade do planeta.

Esse cenário de mudança é apresentado aos espíritas em *A gênese*, escrita por Allan Kardec. Longe de prever catástrofes ou cataclismos, Kardec afirma que a evolução do planeta será gradativa e que nele só terão lugar os encarnados que se predispuserem a colocar em prática os ensinamentos deixados por Jesus há mais de dois mil anos.

O Espiritismo afirma que o planeta também é regido pela Lei do Progresso, o que indica que ele deve progredir, fisicamente, pela transformação dos elementos que o compõem e, moralmente, pela depuração dos espíritos encarnados e desencarnados que o povoam. Fisicamente, a Terra tem experimentado transformações que a ciência comprova e que a tornaram sucessivamente habitada por seres cada vez mais aperfeiçoados. Moralmente, a humanidade progride pelo desenvolvimento da inteligência, do senso moral e do abrandamento dos costumes.

As instruções dadas pelo Espiritismo revelam que esse progresso ocorre de duas maneiras: uma, lenta, gradual e quase imperceptível; outra, caracterizada por mudanças bruscas. A cada uma delas corresponde um movimento ascensional mais rápido, que assinala, mediante impressões bem acentuadas, os períodos de progresso da humanidade.

O Espiritismo afirma que já está se processando um movimento universal, visando ao progresso moral da humanidade, que fará com que a geração futura tenha ideias e sentimentos distintos dos da geração presente, sendo muito mais espiritualizada.

No momento, é fácil identificar sinais claros desse período de transição. Ao mesmo tempo em que vemos a criação de uma enorme diversidade de instituições de auxílio que recebem em seu quadro de voluntários milhares de pessoas engajadas em seus trabalhos assistenciais, vemos conviver no mesmo planeta pessoas que só pensam em realizar o mal e que são capazes de praticar os crimes mais bárbaros.

Segundo o Espiritismo, só os espíritos que se voltarem para a prática do bem continuarão reencarnando na Terra. Aqueles ainda apegados às suas individualidades serão enviados a encarnar em planetas menos adiantados, condizentes com seu estágio de evolução.

Vida após a morte

Ao desencarnar, o espírito se liberta do corpo físico (uma verdadeira prisão para ele) e retoma, pouco a pouco, aptidões que tinha anteriormente, como a possibilidade de volitar (como se voasse, em vez de caminhar). Para entender as limitações ao espírito trazidas pelo corpo físico, é só lembrar das roupas espaciais: elas permitem que os astronautas atuem fora da atmosfera terrestre, mas tornam seus movimentos muito mais lentos e difíceis do que se estivessem na Terra, sem a roupa. Porém, um espírito não pode prescindir do corpo físico para habitar o planeta, da mesma maneira que os astronautas necessitam de roupas especiais.

O processo de desencarne é acompanhado por uma equipe de socorro espiritual, que prestará auxílio ao espírito (se ele tiver merecimento) e o ajudará no processo de desligamento dos fios tênues que o prendem ao corpo, trazendo, se possível, esclarecimentos sobre sua nova situação e levando-o a uma colônia espiritual, onde receberá os primeiros cuidados. Esse desligamento pode ser feito lentamente ou de maneira brusca, dependendo do tipo de desencarne – por exemplo, por doença ou por acidente com morte imediata.

Quem já acompanhou o processo de desencarne de um parente em um hospital tem conhecimento de um procedimento extremamente comum. Os espíritos iniciam o processo, mas, por vezes, os parentes que estão com o doente vibram tão intensamente para que ele continue vivo que acabam dificultando demais o desencarne. Para resolver essa questão, os espíritos fazem o doente ter uma melhora súbita. Nesse momento, os parentes relaxam e retornam aos seus afazeres, e então, na sequência, os espíritos podem retomar o processo de desligamento, vindo o doente a falecer em poucas horas.

Porém, nem sempre é possível aos socorristas prestar atendimento no processo de desencarne. Espíritos altamente comprometidos, que praticaram o mal durante sua existência, podem ser recepcionados, no momento do desencarne, por inimigos que buscam se vingar ou mesmo por espíritos ainda não evoluídos que entram em contato a fim de levá-los consigo para regiões do Umbral (uma colônia espiritual de transição em que habitam espíritos que sofrem por conta de atos que praticaram durante a vida e em que o mal impera). Poderão até tentar escravizá-los, para que façam parte do grupo de espíritos que praticam o mal aos encarnados que se sintonizam com eles.

Muitos desses espíritos passam tempo demasiado na espiritualidade até se darem conta de que desencarnaram. Alguns deles tentam ficar junto das coisas que tinham na Terra e julgam, por vezes, que enlouqueceram. Esse tormento durará até que tenham consciência de que não pertencem mais à matéria e se livrem do ódio e da maldade que os impedem de receber auxílio.

Quem assistiu ao filme *Ghost: do outro lado da vida* terá uma visão clara do desencarne de um espírito bom e de um espírito que praticou o mal em vida. O primeiro terá um processo similar ao do personagem Sam, quando vai ao encontro do plano espiritual. Já o desencarne do segundo será similar ao do assassino de Sam, que, quando desencarna, é recepcionado por seres trevosos. À parte toda a fantasia do cinema, e levando-se em conta somente a essência da cena, é possível ter uma ideia próxima do que acontece.

Evidentemente, não existe uma regra geral para o desencarne, podendo este variar um pouco de espírito para espírito. Desencarnar, porém, não traz ao espírito nenhuma mudança significativa. A vida do outro lado é a continuidade da que ele tinha aqui. Com isso, vemos que ninguém vira santo depois de desencarnar, tampouco fica mau. Os espíritos conservam as características que tinham em vida. A afinidade e a sintonia determinarão o tipo de companhia que terão do outro lado. Quem pensa o mal ou está em desespero se identifica com espíritos que também pensam o mal. Quem praticou o bem e está tranquilo e sereno se identifica com espíritos que buscam a prática do bem. É simplesmente uma questão de sintonia.

O Espiritismo afirma que o céu e o inferno, como lugares circunscritos, não existem. Allan Kardec, no livro *O céu e o inferno*, diz que o céu, o purgatório e o inferno são, essencialmente, estados de consciência, e não propriamente lugares físicos.

Algumas vezes, por meio de afinidade de pensamentos negativos, espíritos menos evoluídos agrupam-se em determinadas regiões de transição do mundo astral – a principal delas é o Umbral –, dando origem a ambientes desagradáveis nos quais reina o sofrimento. Já espíritos mais evoluídos se agrupam em colônias espirituais nas quais reinam a paz e a harmonia.

Um exemplo de colônia espiritual seria Nosso Lar, descrita na obra homônima de Francisco Cândido Xavier pelo espírito André Luiz. *Nosso lar* foi o primeiro livro a apresentar em detalhes o mundo dos espíritos, conhecido também como plano espiritual. A leitura de suas páginas introdutórias já apresenta em detalhes o Umbral e pode trazer certo medo a quem está se iniciando no estudo da vida do outro lado. André narra que estava em uma região escura, lamacenta, envolvida em uma névoa espessa, e lá foi atormentado por figuras diabólicas com expressões animalescas.

André Luiz é minucioso na descrição do que seria o Umbral, mostrando que ele começa na crosta terrestre, ou seja, é um lugar muito próximo à Terra. Ao narrar o que motiva alguém a ir para o Umbral após a morte, ele descreve a seguinte situação:

No Umbral concentram-se almas ignorantes que não são suficientemente perversas para serem enviadas a colônias de reparação mais dolorosas, como as Trevas, nem bastante nobres para serem conduzidas a planos mais elevados. Lá agrupam-se revoltados de toda espécie, como espíritos infelizes, malfeitores e vagabundos de várias categorias. O que rege a sua organização é a lei do "cada um por si", e cada espírito lá permanece pelo tempo que se fizer necessário.

A imagem certamente lembra a do imaginário coletivo do que seria o inferno, apresentado pelas religiões cristãs. Assim, a perturbação provocada por imperfeições, o remorso e a afinidade com coisas ruins levariam um espírito a regiões como a descrita por André Luiz em *Nosso lar*, batizada de Umbral.

Como lá se encontram espíritos que desencarnaram, mas que estão muito apegados a coisas materiais, que ainda sentem revolta, que ainda buscam o mal e acabam nessa região por se identificar com o estado mental de quem ali está, o Umbral representa o local que concentra boa parte dos espíritos pouco evoluídos.

Muitas vezes, quando alguém morre, pode ficar preso, por vontade própria e sem que tenha consciência disso, ao ambiente em que vivia na Terra. É comum espíritos permanecerem nas mesmas casas ou próximos a parentes, até conseguirem se desprender do vínculo mental que têm com as pessoas, os lugares ou as coisas a que estavam ligados em vida. O espírito André Luiz, por exemplo, narra no livro *Nosso lar* que perdeu a noção do tempo durante o período em que esteve no Umbral. Pensou se tratar de poucos dias, mas, depois, descobriu que ficou naquela região por aproximadamente oito anos.

Narrou também que podia sentir seu pulmão respirar. Tinha medo, fome, sede, frio e fazia suas necessidades fisiológicas da mesma maneira de quando estava encarnado.

Parecia que nada havia mudado com a morte, exceto a paisagem, que agora era aterradora e da qual ele não conseguia fugir. Gritava, chorava e implorava por piedade. Não parava de ver formas diabólicas e expressões animalescas. Os poucos momentos de paz ocorriam quando conseguia dormir, mas logo era acordado por seres monstruosos e deles precisava fugir.

Certamente a paisagem do Umbral não era nada acolhedora. Além dessa região, *Nosso lar* também cita rapidamente outra região, muito pior, chamada de Trevas. André Luiz explica que não seria uma simples extensão do Umbral, como muitos pensam.

Segundo a explicação dada por Lísias a André Luiz em *Nosso lar*, Trevas era a região mais inferior que ele conhecia, um local habitado por espíritos extremamente inferiores, ainda ligados fortemente ao mal e que ali permanecem isolados dos demais para evitar que cometessem mais atrocidades e contaminassem espíritos que, mesmo no Umbral, ainda tivessem dentro de si a chama do bem.

Essa explicação dá claramente uma noção do quão assustadora seria a região batizada de Trevas, e mostra que os espíritos que lá habitam encontram-se provisoriamente afastados do convívio com outros espíritos que não têm tanto desejo de fazer o mal. Isso nos faz ver que seriam muito piores em comparação aos que habitam o Umbral, e sua ida para lá poderia provocar ainda mais sofrimento.

No livro *Libertação*, ditado por André Luiz a Francisco Cândido Xavier, o espírito traz mais detalhes sobre essas regiões sombrias, e mostra que regiões como Trevas e também Abismo são locais em que espíritos muito endurecidos expiam seus erros, em um cenário aterrador, muito pior do que o do Umbral, que fica na crosta terrestre, muito próximo a colônias como Nosso Lar.

Nosso Lar seria somente mais uma das inúmeras colônias espirituais que recebem os espíritos desencarnados. Porém, ao conhecê-la, é possível ter uma clara noção de como seriam as demais, respeitando-se somente algumas diferenças e o grau de elevação dos espíritos que lá se encontram, o que interfere em detalhes de sua constituição.

Se o céu e o inferno não existem, tampouco existem os anjos e os demônios. O Espiritismo ensina que Deus – que é soberanamente justo e bom – não poderia ter criado seres destinados infinitamente a permanecer no mal e, da mesma forma, não poderia ter criado espíritos perfeitos desde sua origem, sem que fizessem esforço para alcançar esse estado. Como visto anteriormente, todos são criados simples e ignorantes, e por meio das experiências vão adquirindo saber e moralidade até atingirem a perfeição.

No Espiritismo, o termo "demônio" é usado para denominar os espíritos que não evoluíram moralmente e ainda se comprazem no mal, mas que, um dia, perceberão seus erros.

Os anjos, por sua vez, são espíritos puros, que já evoluíram moral e intelectualmente, por meio de esforço próprio, desde a sua criação.

Como já mencionado, o céu e o inferno não existem como locais físicos, como a tradição cristã leva a crer. Céu e inferno seriam somente estados mentais.

Ação e reação

Nas comunicações dadas a Allan Kardec, os espíritos qualificaram o Espiritismo como o "Consolador prometido". Isso se deve ao fato de trazer respostas às dúvidas existenciais dos encarnados e especialmente reafirmar a infalibilidade da justiça divina.

Segundo o Espiritismo, toda ação gera uma reação. Assim, aquele que praticou um crime hediondo ou simplesmente prejudicou ou humilhou alguém passará, em determinado momento, por situação parecida como vítima, para que possa aprender o quanto é errado aquele comportamento.

Porém, longe de ser uma religião que apresenta Deus como um implacável perseguidor, que pune a todos que fizeram algo errado ou infringiram suas leis, o Espiritismo apresenta um Deus amoroso e justo – conforme enfatizado pelos espíritos a todo tempo. Assim, a lei de ação e reação tem como objetivo ser um importante instrumento de aprendizado e evolução, deixando-se claro que, mesmo que alguém pratique um crime e fique impune às leis do homem, não passará despercebido pela Lei Divina.

Os atos praticados pelos espíritos enquanto encarnados marcam seu perispírito. O perispírito, como já mencionado, é a interface que acompanha o espírito enquanto encarnado e enquanto desencarnado. Assim, o encarnado carregaria certas marcas em seu perispírito que indicam as vezes em que infringiu as leis divinas praticando o mal tanto para consigo como para seus semelhantes.

À medida que o espírito vai evoluindo e se depurando, essas marcas vão desaparecendo, pois já não mais necessitam estar lá. Assim, percebemos que não necessariamente aquele que praticou algo o receberá na mesma moeda. Por exemplo, alguém que assassinou uma pessoa em outra encarnação não necessariamente terá que ser assassinado na encarnação atual. O objetivo é o aprendizado, e não a punição. Portanto, se o espírito já compreendeu que aquilo que fez é errado e tiver arrependimento sincero, não terá que passar pela situação, minimizando-se assim o sofrimento. Uma tradicional história contada em centros espíritas é a do homem que veio com a expiação de perder um braço durante sua existência física, mas, devido ao seu comportamento caridoso para com todos, acabou perdendo somente um dedo.

O Espiritismo revela que todos estão submetidos à lei de causa e efeito. Assim, as deficiências apresentadas nesta encarnação são consequência de atos praticados em outras existências. Como a reencarnação é o processo pelo qual o espírito se aperfeiçoa, é necessário, em determinados pontos, reparar os delitos cometidos no passado. Assim, a causa da deficiência mental, por exemplo, está diretamente ligada ao espírito, que tenta reequilibrar as próprias energias, buscando em uma vida física limitada a harmonia que lhe falta.

Como vemos, não há injustiça. Ninguém passa por algo sem merecer. Essa certeza traz a todos o consolo necessário para superar as adversidades que a vida impõe.

Afinidade e uniões

O Espiritismo explica bem a questão da afinidade quando discute a respeito das almas gêmeas. Decepcionando os apaixonados de todo o mundo, a doutrina afirma que não existem almas gêmeas no sentido que normalmente se dá a esse termo. Não há um homem criado especialmente para uma mulher ou vice-versa. Essa ideia, usada para justificar paixões transitórias, é puramente humana e nada tem a ver com as informações trazidas pelos espíritos. O que pode existir é uma grande afinidade entre duas pessoas, movida, principalmente, pela convivência em diversas existências, o que faz os dois espíritos quererem sempre estar juntos.

O fato de duas pessoas formarem um casal nesta existência não significa que, ao desencarnarem, elas estarão juntas, pois isso depende de estarem no mesmo grau de evolução moral e afinadas no mesmo objetivo.

Uniões feitas na Terra unicamente por conveniência ou para satisfação de paixões e desejos, em geral, extinguem-se com o desencarne de um dos cônjuges, e cada espírito toma seu caminho, que, em geral, é separado do caminho do outro.

Nem todos os espíritos que constituem família no planeta Terra nutriam na espiritualidade um amor fraternal. Muitas vezes, diferentes motivos fazem com que pessoas decidam se casar e, algumas vezes, esses casamentos, que não são fruto de grande afinidade, acabam tendo como desfecho a separação.

Quanto ao assunto separação, o Espiritismo não prega o sofrimento. Ele define a união de duas pessoas como um ato de responsabilidade mútua e não faz apologia ao divórcio.

Mas, por outro lado, não obriga que duas pessoas que não têm como continuar juntas mantenham-se casadas, deixando claro, entretanto, que cada um responderá por seus atos perante a sua consciência. O Espiritismo prega que as separações são contrárias à lei de Deus somente se causadas por interesses circunstanciais e materiais, mas, se evitam males maiores, não.

Os médiuns

Qualquer pessoa, espírita ou não, já deve ter ouvido falar da figura do médium. Mas, afinal de contas, o que é a mediunidade? Para simplificar, chamaremos a mediunidade de sexto sentido.

Segundo Allan Kardec, esse sexto sentido é o que leva à percepção da influência dos espíritos e pode ser desenvolvido por qualquer pessoa, já que a mediunidade é uma capacidade orgânica. Existe um órgão responsável pela mediunidade, a epífise, pequena glândula endócrina localizada no centro do cérebro, entre os dois hemisférios. A epífise é a sede fisiológica de todos os fenômenos mediúnicos. Assim, conclui-se que todas as pessoas tenham a capacidade de perceber a influência dos espíritos, mas nem todas a desenvolvem durante sua existência.

O sexto sentido, ou percepção extrassensorial, abrange uma enorme gama de fenômenos, como a telepatia e a vidência, e tem como objetivo estabelecer uma ponte entre o mundo físico e o espiritual. Para isso, ele se apresenta por meio de fenômenos de efeitos intelectuais (psicografia, psicofonia, clarividência, clariaudiência, entre outros) ou efeitos físicos (batidas, movimento de objetos, materializações, fenômenos de voz direta etc.).

O Espiritismo diz que é perfeitamente natural a comunicação com os espíritos desencarnados, uma vez que todos são espíritos, embora alguns estejam temporariamente encarnados. Essa comunicação se estabelece nos níveis mental e emocional e dentro dos princípios da lei de sintonia, ou seja, encarnados e desencarnados se atraem ou se repelem por afinidade e interesses em comum.

Aquele que desenvolve a mediunidade é denominado médium. Geralmente, os médiuns têm uma aptidão especial para determinado tipo de fenômeno. Disso resulta a formação de variedades relacionadas às formas de manifestação, e as principais são os médiuns de efeitos físicos, os sensitivos, os audientes, os videntes, os sonambúlicos, os curadores, os pneumatógrafos e os psicógrafos:

- **Médiuns de efeitos físicos:** são aqueles aptos a produzir fenômenos materiais, como movimentos dos corpos inertes ou ruídos. Podem ser classificados em médiuns facultativos – os que produzem os fenômenos espíritas por vontade própria, totalmente conscientes do que estão fazendo – e médiuns involuntários – que não possuem consciência nem mesmo desejo de produzir fenômenos.
- **Médiuns sensitivos:** trata-se das pessoas suscetíveis à presença dos espíritos por uma impressão vaga. Podem reconhecer se o espírito é bom ou mau por meio de sensações mais sutis ou mais pesadas.
- **Médiuns audientes:** são aqueles que ouvem a voz dos espíritos e podem conversar diretamente com eles.
- **Médiuns psicofônicos:** são os que transmitem as comunicações dos espíritos por meio da fala. Para tal, podem estar no estado consciente (quando o médium se lembra de tudo que falou) ou no estado inconsciente (quando não há recordação nem ciência imediata do que está sendo dito no momento da comunicação).

- **Médiuns videntes:** são dotados da faculdade de ver os espíritos. Entre os médiuns videntes, há alguns que só veem os espíritos evocados e outros que veem toda a população de espíritos.
- **Médiuns sonambúlicos:** nesse tipo de mediunidade, o espírito do médium vê, ouve e percebe os demais espíritos enquanto dorme.
- **Médiuns curadores:** são aqueles que têm o dom de curar com um simples toque, pelo olhar ou mesmo por um gesto, sem o concurso de qualquer medicação.
- **Médiuns psicógrafos:** transmitem as comunicações dos espíritos por meio da escrita. Esses médiuns podem ser divididos em três categorias: mecânicos, semimecânicos e intuitivos. Os mecânicos não têm consciência do que escrevem, e a influência do pensamento do médium na comunicação é quase nula. Os semimecânicos interferem parcialmente na comunicação. Já os intuitivos recebem a ideia do espírito comunicante e a interpretam, desenvolvendo-a com os recursos de suas possibilidades morais e intelectuais.

Obsessão

A obsessão é um dos maiores perigos que um ser pode enfrentar, seja na Terra ou nas esferas espirituais. Ela pode atingir encarnados e desencarnados.

Trata-se de um processo em que um espírito envolve outro (encarnado ou não) de maneira a gradativamente transformá-lo em uma marionete para que satisfaça todas as suas vontades.

Pessoas em processo obsessivo podem ser atendidas em centros espíritas que possuem trabalhos de desobsessão. Nesses trabalhos, há a presença de médiuns que recebem os espíritos que estão obsidiando os encarnados ali presentes, a fim de buscar esclarecer-lhes quanto à necessidade de se afastarem.

Às vezes, o processo obsessivo começa com uma simpatia entre o espírito e o encarnado que está em sua frequência. Porém, isso é bastante raro. Em geral, trata-se de espíritos que buscam se vingar dos encarnados por conta de alguma experiência que compartilharam em outras vidas. Para isso, aproximam-se deles, incutindo-lhes lentamente pensamentos que os encarnados começam a tomar como seus.

Pouco a pouco, aumenta-se o controle sobre o encarnado, até que chega o momento em que o processo de obsessão já está avançado e o encarnado se torna vítima completa dos espíritos, que podem chegar, inclusive, a induzi-lo a cometer suicídio. Allan Kardec, em *O livro dos médiuns*, esclarece que existem três graus de obsessão. O primeiro deles é a *obsessão simples*, que ocorre quando o espírito se aproxima do encarnado e passa a lhe incutir diariamente pensamentos, que começam a se misturar aos seus; ele lentamente passa a ouvir tudo que o espírito lhe pede para fazer.

Esse estágio pode evoluir para o grau de *fascinação*. Nele, o encarnado começa a idolatrar o espírito, seguindo à risca tudo a que é induzido e passando a estar em sintonia total com ele, enganado por uma espécie de ilusão produzida pela ação direta do espírito.

O terceiro grau é o mais perigoso. Nele, já se configura a *subjugação*, na qual o encarnado perdeu totalmente o controle e passa a ser comandado pelo espírito, que rege tudo o que ele deve dizer ou as ações que deve praticar. Trata-se, portanto, de uma opressão que paralisa a vontade daquele que a sofre. Quando se chega a esse estágio, o tratamento é muito difícil, pois o encarnado já está de tal maneira envolvido que não se dispõe a receber ajuda, acreditando não necessitar dela.

Essa subjugação pode ser moral, quando a pessoa é solicitada a tomar decisões absurdas e comprometedoras, ou corporal, quando o espírito age diretamente sobre os órgãos do corpo, provocando movimentos involuntários e levando o encarnado a praticar atos considerados ridículos. Muitas vezes, acaba sendo dado como louco pela sociedade e internado em algum manicômio. Porém, se frequentar trabalhos de desobsessão, ele pode receber auxílio, sendo imprescindível a ajuda de amigos e parentes para convencê-lo da necessidade de tratamento.

Como dito, em geral, esses casos de obsessão são motivados pelo desejo de vingança que o espírito obsessor nutre.

O tipo mais comum de obsessão é a que se dá do espírito para o encarnado; entretanto, a obsessão pode se dar também de encarnado para espírito, e até de encarnado para encarnado.

O segundo caso acontece quando o encarnado não para de pensar em quem desencarnou, dando-se esse processo normalmente pela ação de familiares ou amigos que não param de sofrer e chamar pelo morto. Isso o prejudica no outro lado, na medida em que ele pode receber esses pensamentos, o que agrava seu estado de desequilíbrio.

Em alguns casos, também temos a obsessão de encarnado para encarnado, em que um indivíduo começa pouco a pouco a influenciar o outro, influência esta que pode evoluir ao total controle.

A ação dos espíritos ocorre somente quando eles se sintonizam com o encarnado; para isso, é necessário que ele esteja na mesma faixa de vibração. A obsessão existe para que os encarnados e os espíritos possam ser testados em sua evolução e, principalmente, como um mecanismo para a lei de ação e reação, em que tudo o que é feito em determinado momento gerará consequências positivas ou negativas de acordo com o ato. Com a existência da obsessão, esses ajustes tornam-se possíveis, sempre que se façam necessários, e ela tem, portanto, uma função de reajuste e resgate.

A única maneira de evitar a obsessão é manter o pensamento firme, focado no bem, e fazer orações para se ligar a Deus toda vez que sentir um certo desequilíbrio.

Apêndice II: Biografia de Chico Xavier*

Francisco Cândido Xavier. Ninguém consegue ficar indiferente a esse nome. O maior médium de todos os tempos, com mais de 460 livros publicados, não somente é admirado pelos espíritas, mas também por pessoas de todos os segmentos religiosos, políticos e sociais – nacionais e internacionais –, que viram a seriedade dos postulados que abraçou e exemplificou durante seus 92 anos de vida. Foi indicado, inclusive, para concorrer ao prêmio Nobel da Paz, em 1981, e eleito o cidadão mineiro do século.

"Fenômeno" é um adjetivo constantemente usado para qualificar esse homem singular. Tendo cursado apenas o primário, escreveu centenas de livros e mensagens em vários idiomas. Poderia ter ficado rico, mas doou tudo o que ganhou em direitos autorais para instituições de auxílio ao

* As citações deste apêndice foram extraídas de [*F.H.C.X.*, 2011].

próximo. Viveu, até o último dia, com o salário de sua aposentadoria, sem usufruir materialmente dos ganhos obtidos com suas obras.

Seu desencarne se deu em 30 de junho de 2002, o mesmo dia em que o Brasil festejava a conquista da Copa do Mundo, o que lhe possibilitou voltar ao mundo espiritual sem muito alarde, colocando em prática até o último momento a humildade, maior característica desse espírito iluminado, que exemplificou em todos os momentos de sua vida os ensinamentos de Jesus, em especial aquele que dizia: "Quem deseja ser o maior, que seja o servidor e o menor de todos".

O maior médium psicógrafo do mundo nasceu em Pedro Leopoldo, modesta cidade de Minas Gerais, em 2 de abril de 1910. Foi batizado como Francisco de Paula Cândido, por um erro de seu pai, que, em vez de ir ao cartório registrar a criança, solicitou a um amigo que o fizesse. O amigo, na ocasião, se confundiu com o santo do dia 2 de abril, que é São Francisco de Paula, e acabou trocando o nome do garoto. A confusão só foi percebida muitos anos depois, quando Chico ingressou no serviço público como inspetor agrícola e precisou providenciar seus documentos. Ao chegar ao cartório, ficou sabendo que não existia nenhum Francisco Cândido Xavier e que o filho do senhor

João Cândido Xavier fora registrado, na data, com outro nome. Somente em 1965 seu nome foi modificado.

Filho de família humilde e numerosa, as provações de sua vida começaram aos cinco anos, quando ficou órfão da mãe, Maria João de Deus, que faleceu deixando nove filhos: Maria Cândida, Luíza, Carmozina, José Cândido, Maria de Lurdes, Raimundo, Maria da Conceição e Geralda, além de Chico. Cada uma das crianças foi entregue a um parente. Chico foi obrigado a viver com a madrinha Rita, que lhe aplicava surras todos os dias.

Sua primeira experiência mediúnica completa foi uma conversa com o espírito da mãe já falecida, que o aconselhou a ter muita paciência para suportar as provações que viriam.

Passando por grandes conflitos e muita dificuldade, o menino cresceu tendo os espíritos como companheiros quase diariamente.

Com quatro anos, teve uma breve experiência mediúnica, enquanto assistia a uma conversa entre sua mãe e seu pai a respeito de um nascimento prematuro ocorrido em uma casa vizinha. O pai, João Cândido, vendedor de bilhetes de loteria, que teve quinze filhos em dois casamentos, não conseguia entender o caso. Chico interrompeu a conversa e disse: "O senhor naturalmente não está informado sobre o caso. O que houve foi um problema de nidação inadequada do ovo, de modo que a criança adquiriu posição ectópica".

João Cândido se assustou e disse à mulher que aquele filho não parecia deles, que deveria ter sido trocado na igreja quando eles estavam na confissão. Virou-se para Chico e perguntou o que ele teria respondido. Chico disse que uma voz o teria mandado dizer aquilo. João Cândido continuou desconfiado da maluquice do menino.

Em especial, Chico teve a companhia do espírito de sua mãe, com o qual pôde travar várias conversas que lhe foram bastante confortadoras. "Independentemente de o fenômeno ter ocorrido quando eu era muito criança, considero o reencontro com minha mãe desencarnada o momento de maior emoção da minha vida", relatou anos depois.

Apesar de os espíritos entrarem sempre em contato com ele, o menino tinha muito receio de ser chamado de louco ao comentar com alguém as conversas que mantinha com almas de outro mundo.

Além de ouvir vozes, via figuras de outro mundo na igreja de Matosinhos, cidade vizinha de Pedro Leopoldo, à qual ele ia diariamente. Durante a missa, via espíritos que frequentavam a igreja. Buscava então se confessar com o padre Sebastião Scarzello, do qual recebia severas penitências para deixar de ser mentiroso.

Certa vez, Chico dirigiu-se muito feliz à sua madrinha, dizendo que havia conversado com a mãe desencarnada. Foi o suficiente para receber uma grande surra. Ao saber que o menino continuava tendo visões de coisas de outro mundo, sua madrinha resolveu conversar sobre o assunto com o padre da região. Este, por sua vez, colocou como penitência que o garoto rezasse mil ave-marias com uma pedra de quinze quilos em cima da cabeça durante toda a procissão.

Outro fato que marcou a infância de Chico ocorreu quando sua madrinha soube, por meio da receita de uma benzedeira, que a ferida infeccionada de seu filho só seria curada se outra criança a lambesse durante três semanas seguidas, em completo jejum. Quando ficou sabendo que teria de cumprir essa penosa tarefa, o menino se desesperou e evocou a mãe, para que o socorresse. Acabou obrigado a cumprir a ingrata missão, mas, durante a penitência, percebeu que o espírito de sua mãe lançava algo sobre a ferida, o que fez o jovem curar-se rapidamente.

Após viver dois anos com a madrinha, o calvário de Chico acabou. Seu pai, João Cândido Xavier, casou-se novamente com uma moça chamada Cidália Batista, que fez questão de reunir em sua casa os nove filhos do primeiro casamento do esposo. Assim, o menino Chico conseguiu livrar-se dos maus-tratos que sua madrinha lhe impunha, mas continuou a ter de conviver com as dificuldades financeiras.

Ele narrou da seguinte forma os contatos que teve com sua mãe e seu apego a Jesus para suportar as provações:

Ao perder minha mãe, aos cinco janeiros de idade, conforme os próprios ensinamentos dela, acreditei n'Ele, na certeza de que Ele me sustentaria. Conduzido a uma casa estranha, na qual conheceria muitas dificuldades para continuar vivendo, lembrava-me d'Ele, na convicção de que era um amigo poderoso e compassivo que me enviaria recursos de resistência, e ao ver minha mãe desencarnada pela primeira vez, com o cérebro infantil sem qualquer conhecimento dos conflitos religiosos que dividem a humanidade, pedi a ela que me abençoasse, segundo o nosso hábito em família, e lembro-me perfeitamente de que perguntei:

– Mamãe, foi Jesus que mandou a senhora nos buscar?

Ela sorriu e respondeu:

– Foi sim, mas Jesus deseja que vocês, os meus filhos espalhados, ainda fiquem me esperando...

Aceitei o que ela dizia, embora chorasse, porque a referência a Jesus me tranquilizava. Quando meu pai se casou pela segunda vez e a minha segunda mãe mandou me buscar para junto dela, notando-lhe a bondade natural, indaguei:

– Foi Jesus quem enviou a senhora para nos reunir?

Ela me disse:

– Chico, isso não sei...

Mas minha fé era tamanha que respondi:

– Foi Ele sim... Minha mãe, quando me aparece, sempre fala que Ele mandaria alguém nos buscar para a nossa casa. E Jesus sempre esteve e está em minhas lembranças como um protetor poderoso e bom, não desaparecido, não longe, mas sempre perto, não indiferente aos nossos obstáculos humanos, e sim, cada vez mais atuante e mais vivo.

Aos oito anos, Chico começou a estudar, e frequentava o Grupo Escolar São José pela manhã. À tarde, saía às ruas diariamente para vender as verduras e os legumes produzidos na horta de sua casa, que era cuidada pela madrasta Cidália e por seus irmãos José e Raimundo.

Dois anos depois, seu pai começa a ficar muito preocupado e cogita interná-lo em um hospital para tratamento mental, pois ninguém entendia as visões que ele relatava. O garoto só não parou no hospital psiquiátrico porque o padre da cidade lhe arranjou um emprego na companhia de fiação e tecelagem Cachoeira Grande. O menino saía da escola e ia para o trabalho, onde permanecia das três da tarde à meia-noite.

Chico e sua família sempre tiveram recursos financeiros muito escassos. Não raro, a família passava muita necessidade, mas Chico sempre se contentou com o pouco que tinha e, mais do que isso, ainda dividia esse pouco com todos os que precisassem de ajuda. Anos depois, Chico descreveu essas dificuldades da seguinte maneira:

> *Passei fome, passei frio... Em Pedro Leopoldo sempre fez muito frio, ventava muito... A nossa casa não era forrada... Às vezes, a gente não tinha o que comer, era somente uma panela no fogão. Mas ninguém em casa morreu por causa das privações que passávamos. A gente comia só arroz e chuchu. De vez em quando uma mandioca ou ovo, carne era muito difícil... Caso tivéssemos tido muita comida em casa, eu iria me empanturrar, pois sempre gostei de comer. Como seria*

capaz de dar comunicações de espíritos com a minha barriga cheia, se me sobravam somente os horários do almoço para escrever? Penso que tudo o que passei na vida tinha uma razão de ser, o meio aparentemente adverso em que renasci foi-me de grande valia para cumprir minha missão.

Os fenômenos espirituais não paravam de acontecer na vida do garoto. Em 1922, aos doze anos, Chico ganhou o prêmio máximo em um concurso literário promovido entre as escolas públicas de Minas Gerais. Sua redação teve como tema central a independência do Brasil.

Na época, Chico afirmava para os colegas de classe que o texto tinha sido ditado em sala por um homem que somente ele via. Sua professora não acreditou no que ele falava e, para deleite dos colegas de classe, propôs que Chico fosse à lousa para escrever um novo texto na frente de todos sobre um tema proposto na hora. Um colega de sala propôs o tema "grão de areia". Ante a incredulidade da classe, Chico redigiu a seguinte frase: "Meus filhos, ninguém escarnece da criação. O grão de areia é quase nada, mas parece uma estrela pequenina refletindo o sol de Deus". Ficaram todos calados.

Na adolescência, por volta dos quinze anos, começam a aparecer os primeiros problemas de saúde. Ele desenvolveu um problema nos pulmões por causa da poeira gerada pelo algodão da tecelagem, o que o obrigou a deixar o emprego na fábrica. Então, começou a trabalhar como auxiliar de cozinha no bar Dove, passando, após breve período, a trabalhar como atendente e auxiliar de serviços gerais no empório de José Felizardo Sobrinho, ex-marido de sua madrinha Rita.

Chico Xavier iniciou sua vida mediúnica no dia 8 de julho de 1927, em Pedro Leopoldo. Maria Xavier, sua irmã, havia adoecido há alguns dias, e os médicos não conseguiam resultado positivo em seu tratamento. Então, a família decidiu levá-la à Fazenda de Maquiné, local em que o amigo José Ermínio Perácio e a médium Carmem Perácio, sua esposa, faziam reuniões espíritas. A moça foi curada, e Chico tomou o primeiro contato com o Espiritismo.

Foi lá que, com apenas dezessete anos, recebeu as primeiras páginas mediúnicas. Naquela noite, os espíritos deram início ao trabalho em conjunto com Chico. Nessa ocasião, dezessete folhas de papel foram preenchidas após comunicações de temática cristã com os espíritos. O médium relata da seguinte maneira esse primeiro contato:

[...] Era uma noite quase gelada e os companheiros que se acomodavam à mesa me seguiram os movimentos do braço, curiosos e comovidos. A sala não era grande, mas, no começo da primeira transmissão de um comunicado do mais Além, por meu intermédio, senti-me fora de meu próprio corpo físico, embora junto dele. No entanto, ao passo que o mensageiro escrevia as dezessete páginas que nos dedicou, minha visão habitual experimentou significativa alteração. As paredes que nos limitavam o espaço desapareceram. O telhado como que se desfez e, fixando o olhar no alto, podia ver estrelas que tremeluziam no escuro da noite. Entretanto, relanceando o olhar no ambiente, notei que toda uma assembleia de entidades amigas me fitava com simpatia e bondade, em cuja expressão adivinhava, por telepatia espontânea, que me encorajavam em silêncio para o trabalho a ser realizado, sobretudo animando-me para que nada receasse quanto ao caminho a percorrer.

Rapidamente, o trabalho de Chico tornou-se conhecido na região. Durante quatro anos, escreveu centenas de mensagens. Esse período foi definido por Emmanuel, o mentor espiritual de Chico, como de necessária experimentação. Em 1931, Emmanuel pediu para ele jogar fora as mensagens que tinha escrito nesse período, pois tinham somente a finalidade de ajudá-lo no treinamento.

Chico Xavier trouxe, durante sua existência, milhares de comunicações de espíritos já falecidos, com mensagens para seus parentes ainda vivos. Semanalmente, centenas de pessoas procuravam o médium, buscando receber comunicações de entes queridos falecidos.

Algumas vezes, essas comunicações eram possíveis; em outras oportunidades, não. Chico sempre fazia questão de dizer que "o telefone toca de lá para cá". Ou seja, os espíritos é que dizem quando desejam se comunicar conosco, e não o contrário. Em diversas oportunidades, pessoas que não recebiam mensagens acabavam se revoltando, mas ele, com paciência, explicava que ainda não havia sido permitida a comunicação e que, em algum momento, o espírito poderia entrar em contato.

Chico teve seu primeiro contato com Emmanuel aos 21 anos. Ao longo de sua vida, Chico e seu mentor espiritual realizaram um trabalho em que um se confundia com o outro, tal o grau de afinidade entre ambos. Em 1927, quatro anos antes de encontrar o médium, Emmanuel já havia mantido contato por intermédio da médium Carmem Perácio em uma reunião espírita realizada na Fazenda de Maquiné, local em que Chico tomou contato com o Espiritismo. Nesse contato, Emmanuel identificou-se a Carmem como amigo espiritual de Chico, relatando que esperava apenas o momento certo para iniciar a grande tarefa dos livros psicografados.

Conhecido como um Espírito de alta luminosidade, Emmanuel teria feito parte da chamada Falange do Espírito da Verdade, grupo de espíritos que teria revelado a Kardec a doutrina espírita. Seus livros dão um panorama do nascimento do Cristianismo, em especial *Paulo e Estevão*, *Ave, Cristo!* e *Renúncia*, os três baseados em episódios históricos reais. Já trabalhos como *Caminho, verdade e vida*, *Pão nosso*, *Vinha de luz* e *Fonte viva* são obras que possuem uma interpretação superior dos ensinamentos de Jesus.

Outras obras de destaque desse famoso espírito são *A caminho da luz*, um relato da história da civilização de acordo com os ensinamentos do Espiritismo, e *Emmanuel*, livro composto de dissertações sobre ciência, religião e filosofia.

Logo nos primeiros contatos, Chico questionou Emmanuel sobre sua identidade em vidas anteriores, mas o espírito só revelou seu passado nos livros *Há dois mil anos* e

50 anos depois. As histórias neles contidas terminaram por fascinar milhares de leitores: Emmanuel encarnara diversas vezes na Terra, na figura de diferentes personalidades, entre elas um senador romano chamado Públio Lêntulus Sura, que foi bisavô de Públio Lêntulus Cornélius, político romano nascido no período terminal da República, e contemporâneo de figuras históricas como Júlio César, Cícero e Catão.

Logo nos primeiros contatos, em 1931, Emmanuel travou um diálogo com Chico em que lhe passava duas orientações básicas para o trabalho que deveria desempenhar, reforçando que, desobedecida qualquer uma delas, ele falharia em sua missão.

Segue a descrição da primeira conversa travada e narrada posteriormente por Chico Xavier:

– Está você realmente disposto a trabalhar na mediunidade com o Evangelho de Jesus?
– Sim, se os bons espíritos não me abandonarem... – respondeu o médium.
– Não será você desamparado – disse-lhe Emmanuel –, mas para isso é preciso que você trabalhe, estude e se esforce no bem.

– E o senhor acha que estou em condições de aceitar o compromisso? – tornou Chico.

– Perfeitamente, desde que você procure respeitar os três pontos básicos para o serviço... [...]

– Qual é o primeiro?

A resposta veio firme:

– Disciplina.

– E o segundo?

– Disciplina.

– E o terceiro?

– Disciplina, é claro. Temos algo a realizar. Trinta livros para começar.

A segunda orientação de Emmanuel para o médium foi descrita por ele da seguinte maneira:

Lembro-me de que, em um dos primeiros contatos comigo, ele me preveniu que pretendia trabalhar ao meu lado, por tempo longo, mas que eu deveria, acima de tudo, procurar os ensinamentos de Jesus e as lições de Allan Kardec, e disse mais, que, se um dia, ele, Emmanuel, algo me aconselhasse que não estivesse de acordo com as palavras de Jesus e de Kardec, que eu devia permanecer com Jesus e Kardec, procurando esquecê-lo.

Como se pode verificar no primeiro diálogo, Emmanuel disse a Chico que eles tinham uma tarefa a realizar, e que esta consistia inicialmente na redação, por meio da psicografia, de trinta livros. Naquele momento, Chico se surpreendeu e, de pronto, afirmou a Emmanuel que a publicação de trinta livros demandaria muito dinheiro, e sua situação financeira era muito precária. Emmanuel disse-lhe que a publicação dos livros seria feita por caminhos que Chico não poderia imaginar.

A profecia se cumpriu. Ao enviar sua primeira obra para um dos diretores da Federação Espírita Brasileira, a publicação foi aprovada. Assim, em 1932, Chico publicou seu primeiro livro, intitulado *Parnaso de além-túmulo*, uma coletânea de 256 poemas assinados pelos espíritos de grandes nomes da literatura, como João de Deus, Antero de Quental, Olavo Bilac, Castro Alves, Guerra Junqueira, Cruz e Sousa e Augusto dos Anjos, entre outros.

Nessa época, Humberto de Campos, então jornalista, fez a seguinte análise do livro no *Diário Carioca*, edição de 10 de julho de 1932 (sem saber que, poucos anos depois, ele desencarnaria e também teria seu texto incluído na introdução da segunda edição do mesmo livro):

Eu faltaria, entretanto, ao dever que me é imposto pela consciência, se não confessasse que, fazendo versos pelas penas do senhor Francisco Cândido Xavier, os poetas de que ele é intérprete apresentam as mesmas características de inspiração e de expressão que os identificavam neste planeta. Os temas abordados são os que os preocuparam em vida. O gosto é o mesmo e o verso obedece, ordinariamente, à mesma pauta musical. Frouxo e ingênuo em Casimiro, largo e sonoro em Castro Alves, sarcástico e variado em Junqueira, fúnebre e grave em Antero, filosófico e profundo em Augusto dos Anjos – sente-se, ao ler cada um dos autores que veio do outro mundo para cantar neste instante, a inclinação do senhor Francisco Cândido Xavier para escrever à la manière de... ou para traduzir o que aqueles altos espíritos sopraram ao seu ouvido.

Em janeiro de 1933, Chico trabalhava no armazém de José Felizardo como balconista. O amigo José Álvaro, poeta e escritor, propôs-se a levá-lo para a capital mineira em busca de melhor salário. Seu pai, João Cândido, ficou entusiasmado e incentivou o filho a aceitar a proposta. Ele ficou em dúvida e consultou Emmanuel, que lhe disse achar inoportuna a viagem, mas aconselhou-o a não desobedecer ao pai.

Em Belo Horizonte, teve o primeiro contato com a fama gerada pelo livro *Parnaso de além-túmulo*, mas as agitações e os elogios não foram suficientes para fazê-lo perder a humildade. José Álvaro, na realidade, queria que Chico assumisse as obras como de sua autoria, e que não as atribuísse aos espíritos. Chico se recusou, e três meses depois regressou a Pedro Leopoldo, retomando suas atividades no armazém.

Passados dois anos, foi tema de uma reportagem publicada no jornal *O Globo*, que o tornou conhecido em todo o Brasil. A partir daí, milhares de pessoas passaram a visitá-lo em Pedro Leopoldo para conferir as suas habilidades mediúnicas, especialmente no tocante aos fenômenos físicos que realizava, como perfumar o ambiente, propiciar aparições, psicografar em vários idiomas, entre outros.

Nessa época, Emmanuel começou a ficar preocupado com o fato de que o trabalho sério de Chico pudesse se transformar em espetáculo, e sugeriu o fim daquelas reuniões.

Ele achava que a maioria das pessoas que a elas comparecia o faziam por mera curiosidade, totalmente improdutiva. Chico aceitou o conselho do seu guia. Após encerrar esse trabalho, ele iniciou seu período mais produtivo em termos de mensagens esclarecedoras.

Em 1944, ocorreu um fato *sui generis* no Direito brasileiro. Chico foi processado pela viúva e pelos três filhos do escritor Humberto de Campos, detentores dos direitos autorais do escritor, cujo nome estampava a capa de cinco obras psicografadas por Chico Xavier. Os familiares exigiam o pagamento de direitos autorais, uma vez que o autor (no caso, Humberto de Campos) continuava escrevendo, mas do além.

No decorrer do processo, Chico, então com 34 anos, temeu muito a possibilidade de ser preso. Após receber uma convocação para depor, ele entrou em pânico e rogou a Deus que o protegesse, chegando até a pedir que, se tivesse de ser preso, que fosse em Belo Horizonte, e não no Rio de Janeiro, pois julgava que, na primeira cidade, o povo já o conhecia e ele seria mais bem tratado.

Emmanuel, percebendo o desespero de Chico, asseverou: "Meu filho, você é uma planta muito fraca para suportar a força das ventanias... Tem ainda muito que lutar para um dia merecer ser preso e morrer pelo Cristo". Chico entendeu o recado e se acalmou um pouco no decorrer do processo.

Nessa época, Chico recebeu a visita de um senhor idoso que pediu ao médium que desse uma receita para um parente que estava muito mal de saúde. Chico anotou os dados do doente e se concentrou para redigir a receita. Nesse momento, recebeu uma intuição, inspirada por Emmanuel, recomendando que tivesse muito cuidado com os pedidos de receita. Além disso, o espírito lhe pediu ainda que escrevesse um bilhete dizendo que o doente não precisava de remédios, mas de preces, pois já estava desencarnado. O homem, ao ler aquilo, saiu correndo, apavorado. Ele e outros amigos haviam tentado preparar uma armadilha para o médium. A ideia era anexar a receita ao processo de Humberto de Campos e acusar Chico de exercício ilegal da medicina.

O processo teve extensa cobertura da imprensa, que, na oportunidade, fez uma profunda análise da obra do médium, buscando identificar indícios de que não pertenciam a quem as assinara. Todas as investigações feitas por especialistas em literatura apontaram que o estilo do texto era exatamente o mesmo de Humberto de Campos.

Nesse período, muitos foram os críticos e escritores que deram parecer sobre sua obra. Um deles foi Monteiro Lobato, que, na ocasião, afirmou: "Se Chico Xavier produziu tudo aquilo por conta própria, então ele pode ocupar quantas cadeiras quiser na Academia Brasileira de Letras".

Já o escritor Menotti Del Picchia expressou-se sobre o caso da seguinte maneira:

> *Deve haver algo de divindade no fenômeno Francisco Cândido Xavier, o qual, sozinho, vale por toda uma Literatura. E que o milagre de ressuscitar espiritualmente os mortos pela vivência psicográfica de inéditos poemas é prodígio que somente pode acontecer na faixa do sobre-humano. Um psicofisiologista veria nele um monstruoso computador de almas e estilos. O computador, porém, memoriza apenas o já feito. A fria mecânica não possui o dom criativo. Esta dimana de Deus. Francisco Cândido Xavier usa a centelha imanente em nós.*

Em sua decisão, o juiz determinou que o direito autoral só era protegido para produções feitas pelo autor em vida. Assim, os familiares não tinham direito de reivindicar o pagamento de direitos autorais pelos textos psicografados por Chico Xavier. Para evitar novos problemas, entretanto, no ano seguinte, Humberto de Campos passou a adotar o pseudônimo de Irmão X nas obras que ditava ao médium.

Um dos exemplos das comunicações de Chico Xavier ocorreu em agosto de 1951, quando recebeu, em Pedro Leopoldo, a ilustre visita de Pietro Ubaldi (1886-1972), escritor, filósofo e místico nascido em Foligno, pequena cidade italiana, perto de Assis, autor do livro *A grande síntese* (1931), com milhões de leitores em todo o mundo. Em transe, Chico disse que o estava vendo diante do túmulo de Francisco de Assis. O professor confirmou, perplexo, que realmente havia visitado o túmulo do santo antes de viajar para o Brasil. Na sequência, Chico disse que ali estava uma entidade chamada Lavínia, que se dizia mãe de Ubaldi e que o chamava carinhosamente de *mio garofanino*, que, em português, significa "meu pequeno cravo". O professor confirmou que era aquele o apelido pelo qual ela o chamava.

Porém, nesse encontro haveria um susto muito maior. Chico relatou que ali estava um espírito chamado Maria, que se dizia irmã de Ubaldi. Este, por sua vez, disse que realmente tinha uma irmã com esse nome, mas ela ainda estava viva, na Itália. Todos ali pensaram o pior. Entretanto, a entidade disse que ela havia morrido quando Pietro Ubaldi ainda era uma criança. Ele já não se lembrava desse fato e se emocionou muito ao ouvi-lo.

O médium nunca se opôs às pesquisas dos fenômenos que ocorriam consigo. Mesmo assim, são poucos os relatos de experiências feitas com a mediunidade de Chico Xavier.

Marcel Souto Maior, em *As vidas de Chico Xavier*, relata que os russos o teriam convidado a viajar, em 1939, para ter sua mente estudada. Porém, Emmanuel teria dito que não iria junto, o que fez Chico declinar do convite.

Carlos Baccelli, biógrafo de Chico, que desfrutou de sua amizade durante muitos anos e teve a oportunidade de acompanhar *in loco* sua vida, afirma que a NASA teria pesquisado a aura de Chico e estipulado que ela media dez metros, quando a de uma pessoa normal não passa de alguns centímetros.

Em uma dessas pesquisas, Chico foi submetido a um encefalograma no momento exato em que entrou em transe. Pelos conhecimentos atuais da neurociência, ele teria sido diagnosticado como epilético. Porém, jamais apresentou sintomas de epilepsia.

Desde a publicação de *Parnaso de além-túmulo*, Chico não parou mais de escrever, tendo como destaque em sua obra os romances históricos ditados pelo espírito Emmanuel, entre eles *Há dois mil anos*, *50 anos depois*, *Ave, Cristo!*, *Paulo e Estevão* e os livros da série André Luiz, que trazem informações detalhadas sobre como seria a vida no outro lado.

A série André Luiz teve início com a psicografia de *Nosso lar*, redigido em 1943. A obra rapidamente se tornou o grande *best-seller* de Chico Xavier, com mais de três milhões de cópias vendidas.

Psicografava sozinho, com exceção de um breve período em que trabalhou com Waldo Vieira. Em 1955, conheceu esse rapaz de 23 anos, que recebia mensagens de André Luiz, o mesmo que trabalhava com Chico. Ele viu em Waldo alguém que o ajudaria na missão de escrever os livros e logo propôs que começassem a trabalhar juntos. O primeiro livro da dupla foi *Evolução em dois mundos*. Chico escrevia os capítulos pares e Waldo, os ímpares.

Quatro anos depois, decidiu mudar-se para Uberaba, cidade localizada na região do Triângulo Mineiro, que possui uma área de 4.512 km^2. Lá, fundou a Comunhão Espírita Cristã, localizada à rua Eurípedes Barsanulfo, 215, na vila Silva Campos, e passou a morar com Waldo Vieira.

No ano seguinte, eles publicaram o livro *Mecanismos da mediunidade*.

Em 1947, Chico havia concluído a série de trinta livros e questionou Emmanuel se o trabalho já estava cumprido. O Espírito respondeu que agora iniciariam uma nova série de trinta livros. Em 1958, Chico finalizou a nova série e questionou novamente se a tarefa já estava cumprida. Emmanuel respondeu-lhe que os mentores espirituais haviam determinado que eles deveriam cumprir a missão de trazer cem livros por meio da psicografia de Chico. Quando cumpriu também essa tarefa, questionou o mentor outra vez e recebeu a seguinte resposta:

> *Os mentores da Vida Superior expediram uma instrução que determina que a sua atual reencarnação será desapropriada, em benefício da divulgação dos princípios espírita-cristãos, permanecendo a sua existência, do ponto de vista físico, à disposição das entidades espirituais que possam colaborar na execução das mensagens e livros, enquanto o seu corpo se mostre apto para as nossas atividades.*

Chico entendeu que psicografaria livros em prol da divulgação da mensagem espírita-cristã durante toda a sua existência, tendo chegado aos 92 anos com 460 livros publicados.

Anos depois, mais precisamente em 1965, em sua primeira missão internacional, viajou para os Estados Unidos com Waldo Vieira a fim de auxiliar os espíritas brasileiros lá residentes. Essa visita foi programada e orientada por Emmanuel e André Luiz, resultando na criação da fundação Christian Spirit Center, que tinha por objetivo difundir a doutrina espírita nos Estados Unidos.

Chico também partiu com destino à Europa, onde encontrou o estudo do Espiritismo e a prática mediúnica desenvolvidos principalmente na Inglaterra. Sua fama ultrapassara as fronteiras do país, transformando-o no médium mais famoso do mundo.

Porém, Waldo não voltou da viagem. Foi para o Japão fazer pós-graduação em medicina. Meses depois, voltou para arrumar as malas e partir para o Rio de Janeiro, onde abriria um consultório. Waldo deixou o Espiritismo e fundou o que ele considerava uma ciência, a Projeciologia. A parceria dos dois resultou em dezessete livros psicografados no período de 1958 a 1965. Chico voltaria a psicografar sozinho, dando prosseguimento à obra e trazendo comunicações de diversos espíritos.

Em sua vida, Chico teve de dar muito testemunho de fé na sua capacidade, e principalmente no auxílio prestado pelos espíritos. Uma das histórias que contava aconteceu na ocasião da morte de seu irmão José Xavier. Nesse período, Chico herdou uma dívida de onze cruzeiros, por falta de pagamento de conta de luz. Sem saber como pagar, Chico questionou Emmanuel, que lhe disse para ter calma, confiar e esperar, sem se preocupar muito com isso.

Passados alguns dias, um homem bateu-lhe à porta, perguntando se ele era Chico Xavier. O homem disse que ficou sabendo da morte de José e queria entregar o pagamento por uma bainha de faca que ele havia feito tempos atrás. Quando Chico abriu o envelope, para seu espanto, havia exatamente onze cruzeiros em seu interior, dinheiro que foi usado para saldar a dívida.

Chico nunca mais conversou com os espíritos sobre a necessidade de recursos financeiros. Sempre que estava em dificuldade, simplesmente não se preocupava, acreditando que a ajuda viria, se fosse necessária, passando assim a confiar totalmente na providência divina.

Desde os oito anos, Chico trabalhava para ajudar no sustento da família, e sempre conseguiu conciliar seu trabalho no campo da mediunidade com as atividades que desenvolveu como operário de uma fábrica de tecidos, auxiliar de serviços gerais, servente de cozinha, caixeiro de armazém e, por último, inspetor agrícola. Aposentou-se como funcionário público, por invalidez, por causa de uma doença incurável nos olhos.

Chico Xavier sempre suportou com resignação as provações pelas quais teve de passar. Desde criança, sofreu com vários problemas de saúde. Até a juventude, seu corpo ainda resistia. Porém, com o passar dos anos, suas defesas foram diminuindo, e ele desenvolveu angina e labirintite crônica, agravadas por dois infartos e duas pneumonias. Teve também uma doença complexa nos olhos: o deslocamento do cristalino, que veio a se somar ao estrabismo da vista direita, condições que o incomodavam muito.

No entanto, mesmo com as doenças, continuou dando provas de sua humildade. Mostrando que não aceitaria nenhum tipo de privilégio, recusou, em 1969, uma oferta do médium Zé Arigó, que desejava operá-lo espiritualmente. Na época, Chico afirmou que a doença era uma provação que ele deveria suportar.

No início da década de 1970, sua notoriedade aumentou ainda mais quando participou do programa *Pinga-fogo*, transmitido pela extinta TV Tupi. Tratava-se de uma espécie de *Roda Viva*, programa veiculado pela TV Cultura, em que jornalistas e espectadores faziam perguntas ao entrevistado. Esse programa estreou em 1955 e ficou no ar até o início dos anos 1980, tendo sido um dos marcos da história televisiva do país.

Assim, em 28 de julho de 1971, mais de 75% dos televisores paulistas estavam sintonizados no programa em que Chico Xavier seria sabatinado ao vivo por conceituados jornalistas sobre os mais diversos temas. O programa, cuja previsão de duração inicial era de sessenta minutos, acabou se estendendo por mais de três horas. A pedido dos espectadores, ele foi repetido três vezes nas semanas seguintes. No dia 12 de dezembro, Chico foi novamente entrevistado.

A partir de então, Chico conquistaria de vez o coração dos brasileiros. Sua fama aumentou ainda mais e milhões de pessoas se tornaram espíritas inspiradas pelo exemplo de Chico Xavier. Em 1978, por exemplo, o médium interpretou a si próprio na novela *O profeta*, escrita por Ivany Ribeiro, na mesma TV Tupi.

Ele também era muito visitado por artistas, o que fez sua popularidade aumentar ainda mais. Os cantores Fábio Júnior e Roberto Carlos; as cantoras Vanusa e Wanderléa; o estilista Clodovil Hernandez; Risoleta Neves, viúva do ex-presidente Tancredo Neves; o então candidato à presidência Fernando Collor de Melo; os atores Lima Duarte e Tony Ramos; a apresentadora Xuxa, entre outras dezenas de artistas, foram até Uberaba em busca dos conselhos do médium.

Roberto Carlos, em entrevista à revista *Intervalo*, em 1971, chegou inclusive a declarar que conhecer Chico Xavier foi a realização de um sonho de infância.

Chico também foi recordista em autógrafos. Nos dias 3 e 4 de agosto de 1973, no Clube Atlético Ypiranga, São Paulo, ele autografou 2.243 livros nas 18 horas em que se submeteu à maratona. Já em 18 de abril de 1977, no Grupo Espírita Irmã Angelina, na cidade de Santos, em São Paulo, autografou a impressionante marca de 2.789 livros.

Toda vez que ele aparecia na mídia, imediatamente aumentava o número de caravanas que se dirigiam a Uberaba para procurá-lo. Mesmo com boa vontade, era impossível para Chico atender a todos, o que gerava frustração naqueles que não podiam ser atendidos.

À medida que sua fama se propagava, surgiam histórias sobre os poderes especiais que ele teria. Em diversas ocasiões, Chico foi obrigado a vir a público para desmentir histórias de que teria o poder de prever o futuro, fazer paralíticos andar, entre outras coisas.

Em 19 de maio de 1975, Chico Xavier, então trabalhador da Comunhão Espírita Cristã, decidiu que o centro havia crescido tanto que não combinava mais com o trabalho simples que ele gostava de realizar, e decidiu se desligar da casa espírita. Fundou o Grupo Espírita da Prece em 18 de julho de 1975, em uma modesta casa, na qual viveu e trabalhou até seus últimos dias de vida.

Em maio de 1976, em Goiânia, ocorreu uma das mais impressionantes histórias de Chico Xavier. Na oportunidade, o juiz aceitou o depoimento de um morto e absolveu o acusado. José Divino Nunes estava na casa do amigo Maurício Garcês conversando e ouvindo música. Após encontrar o revólver do pai, Maurício o entregou a José Divino, que começou a brincar com a arma. Pouco tempo depois, José disparou o revólver por acidente, matando o amigo inseparável.

Os pais de Maurício não se conformavam com a morte do filho, e mesmo não sendo espíritas foram até Chico Xavier. Lá, exatamente a 27 de maio de 1978, receberam do médium a primeira carta psicografada pelo filho, que lhes dizia para perdoarem José Divino, pois ele não tivera culpa pelo ocorrido:

Nem José Divino nem ninguém teve culpa em meu caso. Brincávamos a respeito da possibilidade de ferir alguém pela imagem no espelho. Sem que o momento fosse para qualquer movimento meu, o tiro me alcançou, sem que a culpa fosse do amigo ou minha. O resultado foi aquele. Se alguém deve pedir perdão sou eu mesmo, porque não devia ter admitido brincar em vez de estudar. Estou vivo e com muita vontade de melhorar.

Os parentes, que a princípio queriam a condenação do amigo do filho, acabam concordando com o seu desejo, expressado na carta.

Essa carta, psicografada por Chico, chegou às mãos do juiz da 6ª Vara Criminal da Comarca de Goiânia, doutor Orimar de Bastos, que acabou por absolver o acusado, concluindo:

Temos de dar credibilidade à mensagem psicografada por Francisco Cândido Xavier, anexada aos autos, na qual a vítima relata o fato e isenta de culpa o acusado, discorrendo sobre as brincadeiras com o revólver e o disparo da arma. Esse relato coincide com as declarações prestadas pelo acusado José Divino, quando do seu interrogatório.

A carta foi aceita como prova legal, pois um laudo grafotécnico atestou que a assinatura do falecido era exatamente igual à que ele tinha em vida. Em seguida, o Tribunal de Justiça revogou a sentença, e o réu foi a julgamento novamente, sendo absolvido pelo júri popular, em junho de 1980, por seis votos a um.

Chico esteve às voltas com a Justiça em duas outras oportunidades. Na primeira delas, em 1982, uma carta psicografada pelo morto, o então deputado federal Heitor Alencar Furtado, foi usada pela defesa para inocentar o policial José Aparecido Branco, conhecido como Branquinho, da acusação de assassinato doloso (em que o assassino tem a intenção deliberada de matar). O juiz concluiu que o disparo foi acidental.

No ano 1985, o bancário Francisco João de Deus usou uma psicografia de Chico Xavier para tentar comprovar que o tiro que matara sua esposa, a ex-miss Campo Grande

Gleide Dutra de Deus, fora disparado por ele acidentalmente. O veredicto da Justiça foi pela absolvição de Francisco.

A extraordinária mediunidade de Chico permitia-lhe adentrar o íntimo de cada um, conhecendo claramente seus pontos positivos e negativos. Era comum, por exemplo, ele chamar uma pessoa pelo nome sem nunca tê-la visto ou recebido informações de antemão sobre ela.

Celso de Almeida Afonso, um dos principais médiuns residentes na cidade de Uberaba na época de Chico Xavier, hoje já desencarnado, narrou da seguinte maneira o primeiro contato com ele, ocorrido quando tinha apenas dezesseis anos:

> *Eu considero esse encontro a minha porta de Damasco. (Referência à aparição de Jesus Cristo para Paulo de Tarso que simbolizou o momento de sua conversão ao Cristianismo.) A partir daquele momento, houve modificações na minha vida que me ajudaram no meu equilíbrio. O que é interessante é que eu não tinha vontade de conhecer Chico Xavier. Eu tinha muito medo do Espiritismo. Mas acabei indo lá, entrei, sem cumprimentá-lo, e fiquei de costas para ele. Então, ouvi uma senhora pedir-lhe um autógrafo. Chico respondeu:*

– Somente se o nosso Celso emprestar a caneta.

Ele nunca tinha me visto. Eu me virei e lhe disse:

– O senhor está falando comigo?

Nisso, ele respondeu, simples:

– Sim, meu filho, você não tem uma caneta para me emprestar?

Aquela criatura me envolveu com o magnetismo dela. Eu não gosto de endeusar as pessoas, mas Chico, para mim, é uma pessoa excelente, é um caminho.

Relatos como este, de conhecimento prévio de nomes e informações sobre quem o visitava, sem nunca ter visto a pessoa ou recebido dados sobre ela, são extremamente comuns na vida de Chico.

Chico Xavier não se casou, não teve filhos, não possuía bens em seu nome, nada tinha de material a não ser seu corpo físico. Foi celibatário por vontade própria durante toda a vida, nunca tendo namorado. Achava que isso poderia comprometer o foco que tinha em sua missão.

Seu pai nunca aceitou isso. Certo dia, pediu a um amigo que convidasse o filho para passear. Chico aceitou e os dois saíram pelas ruas. De repente, pararam em frente a uma casa e entraram. Era um bordel.

Ao chegar lá, o amigo presenciou a cena mais estranha de sua vida. Chico foi rapidamente reconhecido pelas prostitutas, que já conheciam os trabalhos sociais promovidos por ele. Comovidas com sua presença, elas encerraram o expediente do dia e se colocaram a rezar junto com o médium. Foi a primeira sessão espírita ocorrida em um bordel. O amigo do pai de Chico, que esperava ajudá-lo em sua iniciação sexual, ficou sem saber o que fazer diante da cena a que assistia.

Um dos casos mais comentados, e que demonstra claramente a sua natureza celibatária, ocorreu em um evento no qual ele foi apresentado à filha do embaixador da Argentina.

A moça ficou encantada com Chico e não desgrudou dele durante toda a festa. Depois disso, passou a frequentar os trabalhos no centro. Um dia, quando o médium entrou na câmara de passes, ela entrou junto e declarou-se.

Chico afirmou que não se julgava alguém por quem valeria sofrer e não tinha pretensão alguma de casar-se, tampouco de se envolver amorosamente, por conta de suas obrigações espirituais. Porém, a moça disse que tinha se apaixonado imediatamente pela voz de Chico, e ele respondeu que, na verdade, ela havia se apaixonado pela voz de Emmanuel, que falava por intermédio dele.

Algum tempo depois, Chico recebeu uma carta diretamente do embaixador da Argentina. O homem dizia que sua filha estava apaixonada por ele e que fazia votos de que se casassem, mesmo sabendo que Chico era um homem sem recursos financeiros e de cor, mas como ele sempre fazia as vontades da filha, estava disposto a ajudá-lo financeiramente.

Chico respondeu educadamente que não poderia aceitar a proposta, pois não tinha tempo para se dedicar a relacionamentos, já que estava altamente comprometido com os trabalhos que a espiritualidade lhe reservara.

Esse compromisso de Chico com a espiritualidade trouxe-lhe popularidade e reconhecimento. No dia 23 de maio de 1980, a Rede Globo apresentou o programa *Um homem chamado Amor*, dirigido por Augusto César Vannucci, para divulgar a campanha promovida para a indicação de Francisco Cândido Xavier ao prêmio Nobel da Paz. O programa contou com a participação de famosos como Lima Duarte, Roberto Carlos, Eva Wilma, Elis Regina, Nair Belo, Tony Ramos, Glória Menezes, entre outros.

Ele acabou não ganhando, e o prêmio foi para o Escritório do Alto Comissariado da ONU para os Refugiados, responsável pela assistência a milhões de refugiados em todo o mundo. Porém, a campanha feita para sua indicação fê-lo tornar-se uma das pessoas mais conhecidas e admiradas do país. Após saber do resultado, Chico declarou:

Nós estamos muito felizes sabendo que um prêmio dessa ordem coube a uma instituição que já atendeu mais de dezoito milhões de refugiados. A organização detentora do prêmio é mais do que merecedora dessa homenagem do mundo inteiro por meio do prêmio Nobel. Nós todos deveríamos instituir recursos para uma organização como essa, em que mais de dezoito milhões de criaturas encontram apoio, refúgio, amparo e bênção. Nós estamos muito contentes, e, sem nenhuma ideia de falsa modéstia, nos regozijamos com os resultados da Comissão, que foi tão feliz nessa escolha.

Uma pesquisa realizada pelo jornal *Gazeta Mercantil* dá a dimensão da popularidade de Chico Xavier. O jornal quis saber quais eram os religiosos mais influentes do país. O resultado o colocou em quarto lugar, em uma lista em que os primeiros colocados eram cardeais e arcebispos católicos e em um momento do país em que toda a força religiosa estava concentrada nas mãos do Catolicismo.

OS CINCO RELIGIOSOS MAIS INFLUENTES		
Religiosos		**Porcentagem**
1º	Dom Paulo Evaristo Arns	13,06%
2º	Dom Helder Câmara	11,49%
3º	Dom Aloísio Lorscheider	11,39%
4º	Francisco Cândido Xavier	9,52%
5º	Dom Eugênio Sales	9,17%

Como reconhecimento pelo seu trabalho, em 1999, o então governador de Minas Gerais, Itamar Franco, sancionou a Lei n. 13.394, criando a Comenda da Paz Chico Xavier.

Outro momento de destaque ocorreu quando Chico Xavier foi eleito o Mineiro do Século no concurso realizado pela Rede Globo, ficando à frente de personalidades como Santos Dumont, Pelé, Betinho, Carlos Drummond de Andrade, Ary Barroso e Juscelino Kubitschek. A pesquisa foi realizada pela Rede Globo Minas e apresentada em novembro de 2000.

Em 2006, a revista *Época*, em sua edição 434, de 11 de setembro, apontou Chico Xavier como "O Maior Brasileiro da História", em pesquisa feita na internet. Os oito primeiros colocados na votação dos leitores de *Época* foram:

Personalidade		Votos
1º	Chico Xavier	9.966
2º	Ayrton Senna	5.637
3º	Pelé	4.320
4º	Garrincha	924
5º	Santos Dumont	854
6º	Juscelino Kubitschek	830
7º	Lula	540
8º	Getúlio Vargas	519

Com uma vida atribulada, Chico não teve oportunidade de avançar nos estudos, não passando do curso primário. Isso certamente atesta a impossibilidade de ter escrito tantas mensagens – com informações das mais diferentes áreas do conhecimento humano, muitas delas transformadas em livros com traduções para o castelhano, esperanto, francês, grego, inglês, japonês e tcheco, além de transcrições para o braile – sem o auxílio de algo sobrenatural.

Por isso, é considerado o maior fenômeno mediúnico do século XX, e é o médium espírita mais conhecido, com mais de 460 obras editadas, somando-se aproximadamente 1.880 edições, com mais de 30 milhões de exemplares vendidos em vários idiomas e livros publicados em mais de 45 países.

Além de sua extensa obra, publicada pelo Centro Espírita União, Casa Editora, O Clarim, Edicel, Federação Espírita Brasileira, Federação Espírita do Estado de São Paulo, Federação Espírita do Rio Grande do Sul, Fundação Marieta Gaio, Grupo Espírita Emmanuel Editora, Comunhão Espírita Cristã, Instituto de Difusão Espírita, Instituto de Divulgação Espírita André Luiz, Livraria Allan Kardec Editora, Editora Pensamento e União Espírita Mineira, também foram publicados muitos livros falando a respeito de Chico Xavier, dentre eles, *Chico Xavier, mediunidade e vida*, de Carlos Baccelli; *Pinga-Fogo: entrevistas*, obra publicada pelo Instituto de Difusão Espírita; *Trinta anos com Chico Xavier* e *Amor e sabedoria de Emmanuel*, de Clóvis Tavares; *No mundo de Chico Xavier* e *Presença de Chico Xavier*, de Elias Barbosa; *Lindos casos de Chico Xavier*, de Ramiro Gama; *40 anos no mundo da mediunidade*, de Roque Jacinto; *A psicografia ante os tribunais*, de Miguel Timponi; *Chico Xavier pede licença*, de Irmão Saulo; *Nosso amigo Xavier*, de Luciano Napoleão; *Chico Xavier: o santo dos nossos dias* e *O prisioneiro de Cristo*, de R.A. Ranieri; *Chico Xavier – mandato de amor*, de Geraldo Lemos Neto (organizador); *As vidas de Chico Xavier*, de Marcel Souto Maior; e *O homem que falava com espíritos*, de Luis Eduardo de Souza.

As psicografias de Chico foram objeto de estudo por parte de especialistas em diversas oportunidades, para comprovar sua autenticidade. Um estudo feito pela Associação Médico-Espírita de São Paulo em torno das comunicações de Chico Xavier apresentou os seguintes resultados ao se passarem as assinaturas dos "mortos" por um exame grafotécnico:

52,5%	das assinaturas eram idênticas;
22,5%	eram semelhantes;
25%	eram diferentes.

Em 95% dos casos, Chico Xavier não conhecia previamente o espírito comunicante. Outro dado interessante é que a família reconheceu o estilo do espírito enquanto encarnado em 100% dos casos.

Apesar de seu dom mediúnico mais conhecido ser a psicografia, ele também exercitou constantemente outras formas de mediunidade, como psicofonia, vidência, audiência, entre outras. Também realizava muitos fenômenos de efeitos físicos. Certa vez, perfumou a água que os assistentes traziam; outra vez, o ar. Contam algumas testemunhas que Chico, em certa ocasião, foi rezar ao lado da cama de uma mulher muito doente e sem esperanças de vida. Enquanto o médium rezava, pétalas de rosas começaram a cair do teto sobre a doente. A mulher veio a falecer sem sofrimento, durante aquela madrugada. Algum tempo depois desse acontecimento, Emmanuel intercedeu junto a ele recomendando a suspensão dos trabalhos de efeitos físicos.

Nos últimos anos e já com a saúde bastante prejudicada, Chico reduziu um pouco a quantidade de trabalho, passando a ser poupado do assédio de milhares de pessoas que iam até Uberaba para vê-lo. A tarefa de preservá-lo coube a seu filho adotivo, Eurípedes Higino dos Reis, que selecionava apenas poucas pessoas para vê-lo pessoalmente. Por essa tarefa, Eurípedes Higino era muito criticado. Foram muitas as vezes em que ele foi acusado de cobrar "pedágio" para quem quisesse visitar Chico Xavier ou de privilegiar o acesso de pessoas famosas. Muitos consideravam que, na casa de Chico Xavier, residia um santo, Chico, e um diabo, Eurípedes.

É digno de nota que, mesmo sofrendo investigação pelo Ministério Público, nada foi encontrado que comprovasse que Eurípedes recebia dinheiro em nome de Chico Xavier.

Eurípedes Higino foi a pessoa que mais tempo permaneceu ao lado do médium. Apesar de Chico ter tido muitos amigos em vida, poucos tiveram a paciência de acompanhá-lo durante muito tempo, pois ele mantinha uma vida de abnegação, e os amigos, de uma maneira ou de outra, acabavam tendo de participar de seus trabalhos de caridade.

Antes de falecer, Chico teria combinado com Eurípedes Tahan Vieira, seu médico, com seu filho adotivo e com a enfermeira Katia Maria um código para que suas comunicações pudessem ser autenticadas e reconhecidas após seu desencarne. Três informações deveriam constar da primeira mensagem enviada do Além. A mensagem revelaria um dos seus segredos mais bem guardados: quem ele teria sido na última encarnação.

Seis meses após seu desencarne, o médium Carlos Baccelli escreveu *Na próxima dimensão*, por intermédio do espírito do médico Inácio Ferreira, ex-diretor clínico do Hospital Psiquiátrico Sanatório Espírita de Uberaba. Na obra, revelou que assistira à passagem de Chico e que o médium seria a reencarnação de Kardec.

Outra obra de Carlos Baccelli, intitulada *Fundação Emmanuel* e ditada pelo espírito do doutor Inácio Ferreira, narra o suposto encontro dele com Chico Xavier, em visita à Fundação, e reforça a condição de Chico como um espírito altamente iluminado, que seria o mesmo que deu vida a Allan Kardec para codificar a doutrina espírita.

O médium, que conviveu com ele durante anos e se tornou um de seus principais biógrafos, publicou ainda, após o desencarne de Chico, livros como *Chico Xavier responde*, em que, segundo ele, o espírito de Chico Xavier fala sobre aspectos de sua personalidade como Allan Kardec e como Chico Xavier, afirmando, entre outras coisas, sentir-se mais Chico do que Kardec.

Esses livros causaram bastante polêmica no meio espírita e ainda são motivo de discussões acaloradas, mas, certamente, pensar na união das duas personalidades em um mesmo espírito seria um desfecho inusitado e digno de todos os fenômenos extraordinários que Chico promoveu em vida.

REFERÊNCIAS BIBLIOGRÁFICAS

ABREU FILHO, J. Biografia de Allan Kardec. In: *O principiante espírita*. São Paulo: O Pensamento, 1956.

ARANTES, H. M. C. A. (org.). *Notáveis reportagens com Chico Xavier*. Rio de Janeiro: Instituto de Difusão Espírita, 2002.

BACCELLI, C. A. *Chico Xavier: mediunidade e coração*. São Paulo: Ideal, 1985.

______. *Chico Xavier, a sombra do abacateiro*. São Paulo: Ideal, 1986.

______. *Chico Xavier, mediunidade e luz*. São Paulo: Ideal, 1989.

______. *Chico Xavier: a reencarnação de Allan Kardec*. São Paulo: LEEP, 2003.

______. *O espiritismo em Uberaba*. Uberaba: Secretária de Educação e Cultura, 1987.

______. *Chico e Emmanuel*. 4. ed. Uberaba: Didier, 2000.

______. *Chico Xavier, o amigo dos animais*. Uberaba: LEEP, 2008.

______. O *Evangelho de Chico Xavier*. 5. ed. Uberaba: Didier, 2002.

______.; FERNADES, Odilon. *Mediunidade e apostolado*. Uberaba: Didier, 2003.

______.; FERREIRA, Inácio. *Fundação Emmanuel*. Uberaba: LEEP, 2006.

______.; XAVIER, Francisco. *Chico Xavier responde*. Uberaba: LEEP, 2007.

CARNEIRO, V. R. *ABC do Espiritismo*. 5. ed. Curitiba: Federação Espírita do Paraná, 1996.

DOYLE, A. C., Sir. *A história do Espiritualismo – de Swedenborg ao início do século XX*. Brasília: Federação Espírita Brasileira, 2013. [H.E., 2012]

GALVES, N. *Até sempre Chico Xavier*. São Paulo: Centro Espírita União, 2008.

GAMA, R. *Lindos casos de Chico Xavier*. São Paulo: Lake, 2002.

GIUMBELLI, E. Kardec, Allan. In: CLARKE, Peter B. *Encyclopedia of New Religious Movements*. Londres: Routlege.

GODOY, P. A.; LUCENA, A. *Personagens do espiritismo*. 2. ed. São Paulo: Edições FEESP, 1990.

JACINTHO, R. *40 anos no mundo da mediunidade*. São Paulo: Departamento Editorial Luz no Lar, 1991.

______. *O evangelho segundo o espiritismo*. 296. ed. Araras: IDE, 2004.

______. *O livro dos espíritos*. 149. ed. Araras: IDE, 2004.

______. *O que é Espiritismo*. 57. ed. Araras: IDE, 2004.

INCONTRI, D. *Para entender Allan Kardec*. São Paulo: Lachâtre, 2004.

______. *Pedagogia espírita, um projeto brasileiro e suas raízes*. Bragança Paulista: Comenius, 2004.

GUÉNON, R. *L'Erreur Spirite* (O Erro Espírita). Paris, 1923.

JORGE, J. *Allan Kardec no pensamento de Léon Denis*. Rio de Janeiro: Centro Espírita Léon Denis/Departamento Editorial, 1978.

KARDEC, A. *Obras póstumas* – biografia de Allan Kardec. In: Revista Espírita, maio de 1869. 14. ed. Tradução de Guillon

Ribeiro. Rio de Janeiro: Federação Espírita Brasileira, 1975. [O.P., 1890]

MONROE, J. W. *Laboratories of faith*: mesmerism, spiritism, and occultism in modern France. Ithaca: Cornell University Press, 2008.

RANIERI, R. A. *Chico Xavier: o santo dos nossos dias*. Rio de Janeiro: Eco, 1988.

______. *Materializações luminosas*. São Paulo: FEESP, 1989.

Revista Espírita, 1858. Federação Espírita Brasileira. Disponível em: <https://www.febnet.org.br/ba/file/Downlivros/revistaespirita/Revista1858.pdf>. Acesso em: 02 abr. 2019. [*R.E.*, 1858]

Revista Espírita, 1859. Federação Espírita Brasileira. Disponível em: <https://www.febnet.org.br/ba/file/Downlivros/revistaespirita/Revista1859.pdf>. Acesso em: 02 abr. 2019. [*R.E.*, 1859]

Revista Espírita, 1861. Federação Espírita Brasileira. Disponível em: <https://www.febnet.org.br/ba/file/Downlivros/revistaespirita/Revista1861.pdf>. Acesso em: 02 abr. 2019. [*R.E.*, 1861]

Revista Espírita, 1862. Federação Espírita Brasileira. Disponível em: <https://www.febnet.org.br/ba/file/Downlivros/revistaespirita/Revista1862.pdf>. Acesso em: 02 abr. 2019. [*R.E.*, 1862]

Revista Espírita, 1863. Federação Espírita Brasileira. Disponível em: <https://www.febnet.org.br/ba/file/Downlivros/revistaespirita/Revista1863.pdf>. Acesso em: 02 abr. 2019. [*R.E.*, 1863]

Revista Espírita, 1865. Federação Espírita Brasileira. Disponível em: <https://www.febnet.org.br/ba/file/Downlivros/revistaespirita/Revista1865.pdf>. Acesso em: 02 abr. 2019. [*R.E.*, 1865]

Revista Espírita, 1867. Federação Espírita Brasileira. Disponível em: <https://www.febnet.org.br/ba/file/Downlivros/revistaespirita/Revista1867.pdf>. Acesso em: 02 abr. 2019. [*R.E.*, 1867]

Revista Espírita, 1869. Federação Espírita Brasileira. Disponível em: <https://www.febnet.org.br/ba/file/Downlivros/revistaespirita/Revista1869.pdf>. Acesso em: 02 abr. 2019. [*R.E.*, 1869]

RIZZINI, J. *Kardec, Irmãs Fox e outros*. Capivari (SP): Editora EME, 1994.

SAUSSE, H. Biografia de Allan Kardec. In: *O que é o espiritismo*. 38. ed. Rio de Janeiro: Federação Espírita Brasileira, 1997.

SCHUBERT, S. C. *Testemunhos de Chico Xavier*. Brasília: FEB, 1986.

SILVA, L. N. C. *Chico Xavier, o mineiro do século*. Minas Gerais: Lachatre, 2001.

______. *Nosso amigo Xavier*. Minas Gerais: Napoleão, 1987.

SILVEIRA, A. *Chico, de Francisco*. São Paulo: Cultura Espírita União, 1987.

SOARES, S. B. *Grandes vultos da humanidade e o Espiritismo*. Rio de Janeiro: Federação Espírita Brasileira, 1961.

SOUTO MAIOR, M. *As vidas de Chico Xavier*. São Paulo: Planeta do Brasil, 2003.

______. *Por trás do véu de Ísis*: uma investigação sobre a comunicação entre vivos e mortos. São Paulo: Planeta do Brasil, 2004.

______. *Kardec – a biografia*. São Paulo: Record, 2013.

SOUZA, C. C. *Encontros com Chico Xavier*. Uberaba: Centro Espírita Aurélio Agostinho, 2001.

SOUZA, L. E. *O homem que falava com espíritos*. São Paulo: Universo dos Livros, 2010.

______. *Desvendando o Nosso Lar*. São Paulo: Universo dos Livros, 2011.

______. *A fascinante história de Chico Xavier*. São Paulo: Universo dos Livros, 2011. [F.H.C.X., 2011]

TAVARES, C. *Trinta anos com Chico Xavier*. 4. ed. Araras: IDEAL, 1987.

TIMPONI, M. *A psicografia ante os tribunais*. Rio de Janeiro: FEB,1959.

XAVIER, F. C. *Cartas e crônicas, do espírito Irmão X* (pseudônimo do espírito Humberto de Campos). Rio de Janeiro: Federação Espírita Brasileira, 1966.

XAVIER, C. *Mãos unidas*. 20. ed. São Paulo: IDE, 1996.

______. *Missionários da luz*. 23. ed. Rio de Janeiro: FEB, 1991.

______. *Nosso Lar*. 55. ed. Rio de Janeiro: FEB, 2005.

______. *Parnaso de além-túmulo* (Poesias Mediúnicas). Rio de

Janeiro: FEB, 1978.

______. *Sinal Verde*. Minas Gerais: Comunhão Espírita Cristã, 1971.

______.; BUENO, Izabel. (Espíritos diversos). *Uma vida de amor e caridade*. 2. ed. Minas Gerais: Espírita Cristã Fonte Viva, 1998.

______.; PIRES, J. Herculano (Irmão Saulo). *Chico Xavier pede licença*. São Bernardo do Campo: Grupo Espírita Emmanuel, 1980.

WANTUIL, I.; THIESEN, F. *Allan Kardec – o educador e o codificador*. Rio de Janeiro: Federação Espírita Brasileira, 2004.

OBRAS DE ALLAN KARDEC

O livro dos espíritos, princípios da doutrina espírita (1857)
Revista Espírita (1858 a 1869)
O que é o espiritismo (1859)
O livro dos médiuns ou guia dos médiuns e dos evocadores (1861)
O espiritismo em sua expressão mais simples (1862)
O evangelho segundo o espiritismo (1864)
O céu e o inferno ou a justiça divina segundo o espiritismo (1865)

Viagem espírita em 1862 (1867)
A gênese, os milagres e as predições segundo o espiritismo (1868)
Catálogo racional de obras para se fundar uma biblioteca espírita (1869)
Obras póstumas (1890)

OBRAS DE HIPPOLYTE LÉON DENIZARD RIVAIL

Curso prático e teórico de aritmética (1824)
Plano proposto para a melhoria da instrução pública (1828)
Gramática francesa clássica (1831)
Qual o sistema de estudo mais consentâneo com as necessidades da época? (1831)
Manual dos exames para os títulos de capacidade: soluções racionais de questões e problemas de aritmética e de geometria (1846)
Catecismo gramatical da língua francesa (1848)
Programa dos cursos ordinários de química, física, astronomia, fisiologia (1849)
Ditados normais dos exames da municipalidade e da Sorbona (1849)
Ditados especiais sobre as dificuldades ortográficas (1849)

OBRAS DE AMÉLIE-GABRIELLE BOUDET

Contos Primaveris (1825)
Noções de desenho (1826)
O essencial em belas-artes (1828)